The Punks From Andover

Vendor Lock-In《ベンダーロックイン》

DX時代のソフトウエア民主化革命

Discover BP

はじめに

広がるＰＬＭの可能性

スマートフォンを使って、支払いや決済をする。
人を介さずに設備の遠隔監視を行う。
ネット経由でソフトウエアをアップデートし、機能を改善する。

私たちはすでにさまざまなモノ（現実空間）とデジタル（仮想空間）が融合した世界で暮らしており、つながったモノとデジタルによって提供される、新しいサービスを体験しています。

この新しい現実は、今日、Society 5.0として実現されており〝つながる世界〟とも呼ばれています。

Society 5.0とは、２０１６年「第5期科学技術基本計画」として内閣府により閣議決定された、日本が目指すべき未来社会のビジョンのことです。

このビジョンでは、デジタルの仮想空間と物理的に実現された現実空間を高度に融合させて、経済発展と社会的課題の解決を両立する、人間中心の社会（Society）が提唱されました。これは今日のＤＸ（Digital Transformation）とも方向性を同じくする考え方です。

このような社会変革のもとで、消費者のニーズに合った〝モノ（製品）〟を提供していくには、〝モノづくり〟自体も変わっていく必要があります。

従来は、機械的に実現できるものは機械設計者が、電気的な制御が必要なものは電気設計者が中心となってモノづくりを進めてきました。

しかし、Society 5.0で求められる製品は、機械と電気の仕組みに加えてソフトウエアが重要な役割を担っています。なぜなら、ソフトウエアが中心となり、機械や電気の仕組みを制御して一つのシステムとして成り立たせているからです。

ヒトとモノがデジタルで融合された〝つながる世界〟の製品設計を効率的に行うためには、機械、電気、ソフトのそれぞれの関係性が簡単にわかることが大切です。たとえば設計内容を変更したとき、他の設計領域への影響がすぐに把握できるよう、関連するデータと紐付け、必要な情報に容易にたどり着けるような仕組みです。

このような仕組みを実現するには、

○モノづくりに必要な情報が一元的に管理され、

○誰でも簡単にアクセスでき、

○関係する人たちが正しい情報を使ってモノづくりを行うことが可能な、

としての、デジタルプラットフォームが求められます。

○信頼できる唯一の情報源（Single Source of Truth）

信頼できる唯一の情報源の仕組みは、インターネットの世界を例に考えてみるとわかりやすいでしょう。

インターネットは、ウェブサイト間をハイパーリンクでつなぐことで情報の確かさを向上させています。ウェブサイトが多ければ多いほど、また、情報を更新する人が多ければ多いほど、情報の精度が向上します。

Society 5.0時代における製品のデジタルエンジニアリングでは、機械、電気、ソフトの各ドメインをまたいで情報がつながります。

つながる世界の製品は、製品が工場を出荷して終わりではありません。サプライチェーンを経由している間はもちろん、最終的にはお客様の手元にある製品からも情報は発信され続けるため、プロダクトのライフサイクル全般にわたる情報の連携が求められます。

またサプライチェーンは同じ業種だけの縦の系列だけでなく、業種・業界を横断した横の情報のつながりを持つことで新しいサービスを生み出しています。このような関連する情報をデジタルでつなげた仕組みは、デジタルスレッドと呼ばれています。

つながる世界のモノづくりを支援するデジタルプラットフォームとして最適なのが、ＰＬＭ（Product Lifecycle Management）システムです。ＰＬＭシステムを使えば、プロダクトのライフサイクルを通してデジタルスレッドを構築できます。また、ＰＬＭシステムにさまざまな分野の、より多くのステークホルダーが参加することで情報の鮮度を維持することを可能にします。

なお、ＰＬＭという用語は、デジタルエンジニアリングのプロセスや手法など、ビジネスモデルを表すときと、ＰＬＭを実現するシステムやソフトウエアパッケージを指すときがあります。本書では、ビジネスモデルとして使う場合は「ＰＬＭ」、システムを指す場合は「ＰＬＭシステム」と表現していきます。

ＩＴを導入し、デジタル化を進めるには大きく三つのステップがあります（図１）。

図1）デジタル化への３ステップ

最初のステップは、既存のプロセスにデジタル技術を導入し、業務をデジタル化する「デジタイゼーション」です。

次のステップは、デジタイゼーションされた既存のプロセスを変革し、新しいビジネスプロセスを構築する「デジタライゼーション」です。

最後のステップが、デジタライゼーションを進化させ、新たなビジネスモデルを構築し、これまでになかった付加価値を生み出す「デジタルトランスフォーメーション」です。

しかし、これまでは、エンジニアリング環境のデジタル化は、うまくいっているとはあまりいえない状況でした。

たとえば、３次元ＣＡＤ*（Computer Aided Design）

*コンピュータを用いて設計をすること、またはコンピュータによる設計支援ツールのこと

によるデジタイゼーションでは、それまで手書きによって行われていた図面作成がデジタル化されました。図面のデジタル化でコピーや流用、共有はしやすくなりましたが、一方でそもそものＣＡＤデータを作成するために工数をかけ、図面を作成していました。ＣＡＤによる図面のデジタイゼーションがかえって業務量を増やすといった結果を招いたわけです。

本来は、３次元ＣＡＤの導入で設計業務のコンカレント化*を促進し、設計期間の短縮と設計品質の向上を実現するはずのＩＴ化（デジタイゼーション）が、ＩＴの導入が進むほど現場が混乱するといったことを引き起こしていました。

こういったトラブルが発生する理由として、従来のプロセスを温存したままプロジェクトを進めたことが挙げられます。デジタル化の手順を間違えたために、かえって業務効率が悪化し、それをカバーするために新たな作業が発生するといった悪循環に陥ります。

業務のデジタル化を成功させるためには、新しい仕事のやり方に合わせ、プロセスを新たに設計し、デジタライゼーションにつなげていく必要があるのです。

あまり語られていませんが、デジタル化がうまく進まない理由には、IT業界の慣習があることも無視できません。デジタル化の成功を阻害する慣習の例としては次のものが挙げられます。

○デジタル化ツールに関する情報をソフトウエアベンダーが囲い込んでいる
○情報を共有するコミュニティが未発達でノウハウの共有ができていない
○顧客であるユーザーとソフトウエアを提供するベンダーの関係が希薄である

IT業界は比較的新しい産業です。そのため、ソフトウエアベンダーが開発したソリューションをユーザーが学びながら使っていくといった関係が構築されてきました。

このような関係だと、ベンダー**主導で情報が統制されたり、ベンダーの囲い込み戦略（ベンダーロックイン）に取り込まれたりして、ユーザー企業としての自由度が制限されてしまいます。

この「利用者が学ぶ側で、提供者が教える側」という関係がベースになってい

＊ 製品開発で複数の設計プロセスを同時並行で進める開発期間の短縮やコスト削減を行う方式

＊＊（ITシステムやその開発、構築などの）サービスを提供する事業会社

るＩＴ業界の慣習は、ベンダーが想定しないＩＴの活用の仕方ができる、デジタルネイティブなＺ世代の登場で徐々に変わっていくと考えられます。

システムの活用期間に対する考え方も一つの要因として挙げられます。たとえば、ＥＲＰ*(Enterprise Resources Planning)をはじめとする企業の基幹システムの寿命平均は、14年といわれています。

「10年以上前のテクノロジーは古いので14年も使えれば十分」といった声や、「ＩＴシステムの減価償却の期間は5年以内なので、10年も使い続ければ十分元を取った」という考え方もあるでしょう。

イメージしやすいように、Society 5.0時代のシステムと、今までのシステムの寿命に関する問題を、スマートフォンと従来の携帯電話（通称ガラケー）に置き換えて説明してみたいと思います。

みなさんが日ごろ使っているスマートフォンは、現在どれくらいの期間利用しているでしょうか？　iPhoneが登場した２００７年からの初期ユーザーであれば、執筆の時点（2022年）ですでに15年間使い続けていることになります。

一方、ガラケーは寿命が大体5年といわれていました。ガラケーの寿命は主に部品の寿命と等しく、また当時、携帯電話に搭載されているOSやアプリは更新されることはあまりありませんでした。

システムの刷新が必要な理由として、テクノロジーが古くなる、メーカーやベンダーのサポートが切れる、サイバー犯罪のリスクが高まる、システムが今の業務に合わず仕事がはかどらない、などが挙げられます。

スマートフォンの場合、利用が長寿化してもOSやアプリが更新され、常に最新のテクノロジーと最高のセキュリティをサービスとして受けることができます。また、ハードウエアは最新のものといつでも置き換え（買い換え）可能ですから、ハードウエアの寿命を気にする必要もありません。

この結果、スマートフォンにある写真や住所情報、SNSなどのデータは年々パーソナライズされ、蓄積されたデータを活用できるアプリをインストールする

＊ 経営資源の有効活用の観点から企業全体を統合的に管理し、経営効率化を図る手法

ことでより便利な使い方が可能となります。

このように、システムとしての寿命を長くして、製品だけでなくサービスも併せて提供することで、顧客満足度が向上し、ロイヤルカスタマーとしてナーチャリング*していくことができるわけです。

これからのＩＴは、ハードウエアやソフトウエアの機能以上に、「システムに蓄積されたデータを活用してどのようなサービスが提供されるのか」がより重要なポイントになります。この流れは企業の基幹システムにも当てはまり、これからのシステムの常識となっています。

ヒトとモノがつながるSociety 5.0時代は、モノに対する要求がより複雑になります。このような時代のモノづくりには、必要な情報を、必要とする人に伝える情報インフラとして、デジタルスレッドが構築できるＰＬＭシステムの役割がより重要になってきました。

また、つながる世界のモノづくりを支えるＩＴはスピードが命です。すべての機能や仕組みを自前で構築していては競争に乗り遅れてしまいます。

Society 5.0時代におけるモノづくりの情報インフラは、ＰＬＭシステムを中心にデジタルプラットフォームが構成されていきます。

ＰＬＭシステムには、業務改善と共に変わっていく仕事のやり方に柔軟に対応できるフレキシビリティと、さまざまなシステムと連携できるオープンなコネクティビティと共に、継続的に新たな機能を追加でき、かつアップグレーダブルで持続可能なシステムであることが求められます。

本書はSociety 5.0時代のモノづくりの在り方として、現在製造業が抱えるジレンマを明らかにしていきます。そのうえで、ソフトウエアベンダーの呪縛を乗り越え、時代が求めるデジタルエンジニアリングを実現するのに必要なＰＬＭシステム構築のための要素を解説します。

あわせて、米国アラス社（Aras Corporation）のＰＬＭシステムであるAras Innovatorの提供を通して培ってきたソフトウエアのオープン化戦略や、顧客との

＊「養育」「育成」の意味から転じて、マーケティング・営業の分野においては見込み客を顧客にするという意味

Win-Winを実現するサブスクリプションビジネスモデルなど、ＤＸ時代に必要とされる新しいビジネスモデルをアラス社がいかに成功させてきたのか、その取り組みとノウハウに関してもご紹介していきます。

目次

クローズドイノベーションで進められるシステム構築
モノづくりの重心が変わってきた
モノではなくサービスを売るという世界

第二章　デジタルプラットフォーム構築の阻害要因――73

限定した範囲で利用されてきたＰＬＭシステム
ベンダーロックインという沼
言葉はやわらかいが、実はかたいソフトウエア
アプリが頻繁にアップデートされるわけ
なぜＰＬＭシステムでプロダクトの
ライフサイクル管理ができないのか
データの長期保存問題

第四章

カスタマーサクセスがつくる新たな世界

第一章

製造業が抱えるジレンマ

日本の製造業が苦戦している理由

「東洋のマンチェスター」と呼ばれた時代、日本は世界最大の紡績大国でした。

１９８０年代中ごろには、半導体市場で日本が世界シェアの過半数を占めるようになり、「日の丸半導体」として半導体の母国であるアメリカをも凌駕し、世界の市場をけん引していました。まさに「ジャパン・アズ・ナンバーワン」として、製造立国、モノづくり大国として世界に認知された時代だったのです。

しかし今日、日本のＧＤＰは世界３位に後退。日本の労働生産性は49・５ドルで、ＯＥＣＤ加盟38カ国中23位（２０２２年時点）となっています。日本企業の競争力が低下し、日本経済は世界から遅れを取り始めているといえるでしょう。

イノベーションが起きにくい文化、高齢化による人材不足、抜け出せない低価格競争によるデフレスパイラル、投資判断を遅らせる利益率の低さなど、理由は多々あり複合的です。

いくつかある理由の中の一つに、「デジタル化の遅れ」があることは特に注意が必要です。


2022年6月に公表されたＩＭＤ（International Institute for Management Development：国際経営開発研究所）の世界競争力年鑑（World Competitiveness Yearbook）のランキングでは、日本は63カ国中34位と、1991年の1位から下降の一途をたどっています。

2022年の1位はデンマークでした。デンマークは福祉大国であるとともに、サステナビリティに国を挙げて積極的に取り組んでいることで知られていますが、実はデジタル先進国でもあります。国連の経済社会局（ＵＮ ＤＥＳＡ）が実施した2022年の世界電子政府ランキングでも1位を獲得しています。

デンマークがデジタル化に成功した背景には、優秀な国内のＩＴ企業の存在もさることながら、政府自らがデジタル化の意味を理解し、具体的なデジタル化戦略を掲げて取り組んだことがあります。

市民が自分のデータをセルフサービスで照合できる公共のウェブポータルサービス「Borger.dk」や、個人のＣＰＲ番号（デンマーク版マイナンバー）と公共料金の納付や給付を関連付けて管理する電子決済の仕組み「NemKonto」などは好例です。

さらに、これらのデジタルサービスを有効活用するための共通のセキュリティシステムNemID/MitIDなど、政府が率先して公共のデジタル化を推進するための基盤を準備しています。これらのインフラが、デンマークのデジタル化を推進する原動力となっているわけです。

一方我が国では、コロナ禍の中で行われた10万円の定額給付金のオンライン申請で次々に不具合が起きて大混乱に陥りました。この原因は、オンライン申請に必要なマイナンバーが預金口座と連動していないことが原因の一つでした。最終的に、郵送での申請を再度呼びかけ、手作業に戻したため、自治体の業務負荷をよりいっそう増加させたことは記憶に新しいところです。

この例からもわかるように、デジタル化の成功は、正しい情報基盤のうえに適切なサービスを組み合わせて提供する必要があります。振り返ってみると、日本の製造業の衰退要因の一つに、このような情報インフラとしてのデジタルプラットフォームの整備欠如があると考えます。

日本の製造業がより長く競争力を維持するためには、日本企業に合ったデジタル化が不可欠です。製造業を復活させ、再び成長曲線に乗せ、モノづくり大国ニッポンの地位を奪還するためにも、まずはなぜ製造業が現在苦戦しているのかの考察から始めたいと思います。

もともと日本の製造業は積極的にＩＴ化に取り組み、他国とくらべてもＩＴの導入が進んでいる方でした。設計現場におけるデジタル化においても、１９９０年代以降３次元ＣＡＤが導入され、設計現場のデジタル化が進められました。

一方、中国や韓国は日本より数年ほど遅れ、2000年前後に3次元CADの導入が始まりましたが、一気にリープフロッグ（インフラが整備されていない新興国が一気に先進国を飛び越える現象）して日本を追い越してしまいました。

この原因の一つに、日本の製造業は3次元CADの導入以前に2次元CADを使った電子化が進んでいたことが挙げられます。その点、中国や韓国では更地の上にビルを建てるように、最初から3次元設計を前提としたプロセスをベースに3次元CADを導入することが可能だったため、一気に効果を上げることができたのです。

たとえば、船の図面を描く際には一つの図面に船の形全体を書くわけではありません。船は全体をいくつかのブロックに分割し、ブロックごとに設計を進めるブロック式建造法という手法で設計・製造されていきます。ブロック式建造法を用いることで、区画ごとに同時並行で製造することができたり、浸水時の影響を最小限にとどめられたりするなど、多くの利点があります。

個別に設計されたブロックは最終的に船全体として組み立てられていきます。

このとき、ブロックごとに2次元で設計していると、「あるブロックではパイプを通す穴を右下に設計したにもかかわらず、隣のブロックでは左上にある」という笑い話のようなミスが起きることがあります。

これは、2次元の平面図で設計しているために、立体的に図面の内容を把握できないことが原因ではありません。2次元設計の環境では、常に変化する設計情報を事前に共有することが難しいため、「パイプの位置が変更された」ことが伝わらずに、現場でいざ組み付けようというときにミスが判明してしまうわけです。

このような情報連携のミスをカバーするために、現場で穴を塞いで別の場所に穴を開け直すといった調整が行われるのは、比較的よくあると聞きます。

一方、3次元設計では図面を共有しながら作業を進めることができます。ほかの設計者のデータを事前に確認できるため、3次元のデータを回転させたり拡大・縮小させたりしながら立体的に形状を確認し、このようなミスを事前に見つけることが容易にできます。

中国や韓国におけるCADの導入は、最初から3次元設計をベースとした図面作成プロセスを導入したため、デジタル化の恩恵を受けることができました。それに対し、日本では、CADを導入したデジタル化が進んでいたこともあり、2次元でつくった図面を3次元に移行する作業も必要となり、図面の3次元化をなかなか進めることができませんでした。

また、2次元での作業に慣れていたため、仕事の進め方を変えることに対する現場の強い反発もありました。このように先行した成功事例があったことが、かえって海外にくらべて3次元への移行に時間がかかってしまった理由の一つです。

この3次元設計の浸透のスピードの差が、そのまま造船業界の下剋上を招いてしまったといっても言い過ぎではありません。〝古き良き〟を壊せなかった、日本のレガシーが、進歩の邪魔をしてしまったといえます。

似たようなことは、あちこちの分野で起きています。たとえば日本では電話が一般家庭に普及したのは黒電話でした。その後、電話は携帯電話、スマートフォンとテクノロジーの進化に合わせ順次移り変わっていきましたが、アフリカなどの途上国ではその過程を飛ばして、最初に普及したのがスマートフォンです。半導体の進歩や通信速度の進化も後押しをしましたが、電話線などのインフラがもともとなかったことが、逆にスマートフォンが爆発的に普及した理由だといわれています。

これにより電話のデジタライゼーションに一足飛びに進むことができ、現地では日本にはないスマートフォンをベースにした新しいビジネスが生まれています。

イノベーションを起こすためには、必ずしもテクノロジーは必須ではありません。「イノベーションの父」と呼ばれるヨーゼフ・シュンペーター（Joseph Schumpeter）は、イノベーションを「経済活動の中で、生産手段や資源、労働力などをそれまでとは異なるやり方で新結合すること」だと定義しています。イノベーションとは、一見、関係なさそうな事柄を結び付け、新しい活用法を創出する行為なのです。

日本企業がリープフロッグして、再び世界のモノづくり大国になるためにも、〝古き良き〟を維持しつつ、人もプロセスもシステムも柔軟に〝新結合〟し、変わっていくことが求められます。

現場は複雑にからみ合っている

モノづくりに関わる情報の中心は、設計情報が詰まった図面です。そのため、モノづくりのＩＴ化は、「ＣＡＤを使っていかに効率的に図面を作成できるのか」を中心に語られてきました。

モノづくりは図面から始まるのではありません。図面を作成する以前から、すでにモノづくりは始まっており「どんな機能が必要か」「どんなペルソナを設定するか」「どんな利用場面が考えられるか」などが最初に検討され、これらの情報は製品コンセプトをまとめたポンチ絵やドラフト、企画書などとして成果物の一つとして作成されます。

製品の不具合を調査する場合、これらの「CAD以前」の情報が問題解決の糸口になることも多々あります。設計情報を管理するデジタルインフラの整備において、CAD以外のデータをいかに統合管理できるかは、大きなテーマだといえます。

図面は一度作成して終わりではありません。モノづくりの過程ではカイゼン、つまり設計変更が絶えず行われます。どう組み立てればコストダウンできるのか、どの工場で生産すれば市場の需要に対応できるのかなど、性能が目標を達成していても常にカイゼンが行われ、その都度図面は改定を重ねていきます。

設計情報は企画、設計から製造や販売の現場といった上流から下流への流れだけでなく、市場の声や製造現場の声が上流の設計部門に流れるといった逆の流れもあります。また、シリーズで製品設計をする場合、カイゼンを行い設計変更した内容が、隣のシリーズ製品に影響を与えないかなど、設計変更は横の情報の流れも気にしなければなりません。

上から下へ、右から左へ、あらゆる部門間で情報を連携しながらクオリティの高いモノづくりを進めていかなければならない点が設計情報管理の難しいところです。

製品の設計情報は一元管理され、すべての関係部門が同じ設計情報を共有しながらモノづくりを進めることが理想です。しかし実際の設計現場では、情報は部門ごと、チームごと、または個人別に細切れに分断されて管理されています。

CADデータは設計部門で、過去の不具合の情報と対策は品質管理部門で、調達期間やコストおよび在庫情報は購買部門で、といったように、それぞれの部門が自部門の業務を最適化するデジタル化を進めた結果、それぞれの部門が個別にシステムを持つことになり、データも分散して個別に管理されているという状況

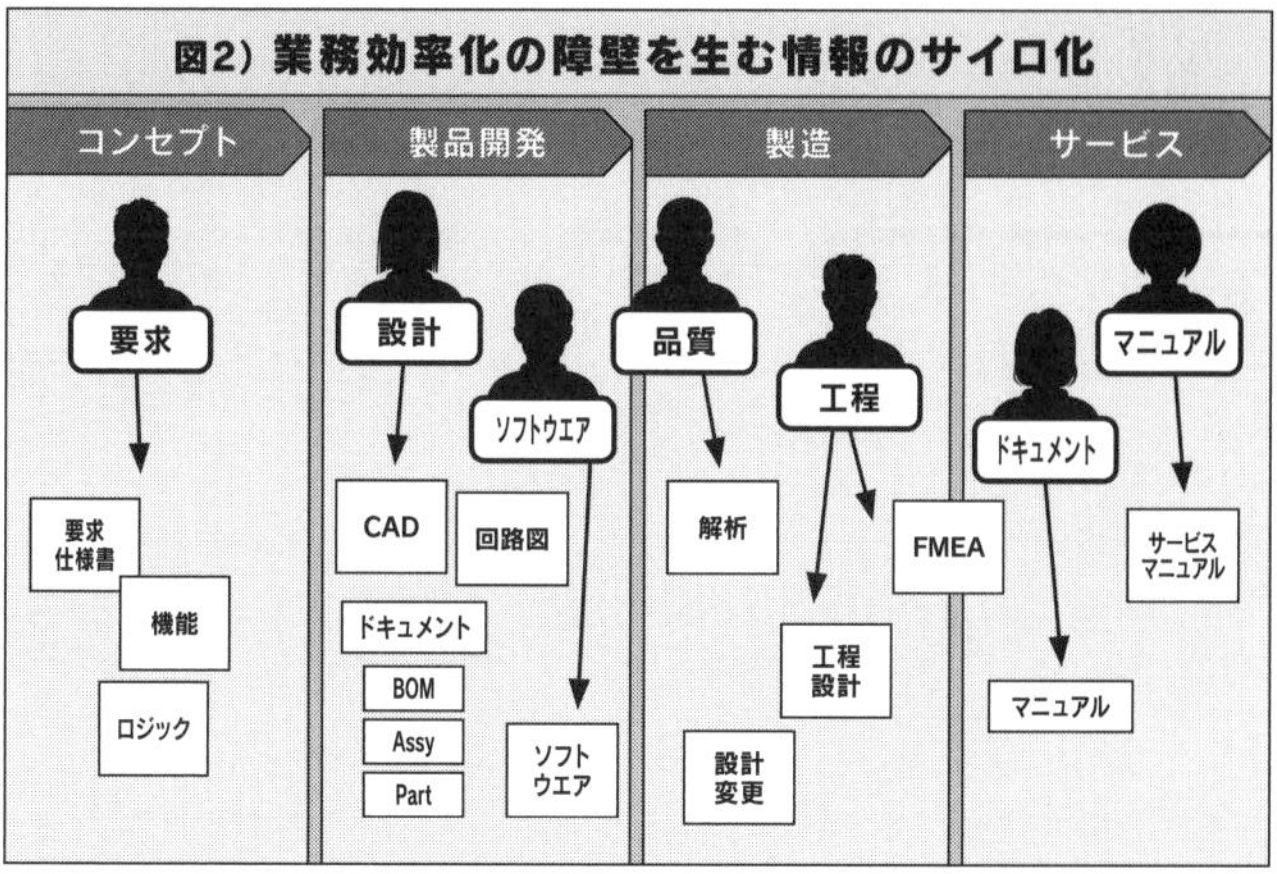

はよくある話です。

悪いことに、個別に作成されたシステムのデータは、システム間の互換性が考慮されていないため、情報がサイロ化*され分断されて管理されていきます（図2）。

モノづくりにおいて情報の共有が重要であることは誰もが認識しています。そのため、この課題を解決するためによく取られる手法が、共有フォルダを使った情報共有です。サーバーにある共有のディスクに共同で利用できるフォルダを準備し、フォルダにデータを保存し情報を共有していきます。

共有フォルダを用いた情報の共有は、

* 部署や業務、システムなどが個々に独立して存在し全体の連携ができない状態

手っ取り早く取り組める反面、なんの制限もありません。誰かが上書きしたことに気づかなかったり、新しくデータが登録されたことを知らされなかったりするため、古い情報のまま作業を進める、といったケアレスミスを防ぐことができません。

部品が何万点にも及ぶ製品設計において、共有フォルダを用いて最新バージョンを管理したり、更新履歴を把握したりすることはほとんど不可能だといえます。

正しい情報を正しい人に伝える大切さ

設計情報は、最終的な設計成果物だけを管理すれば良いというわけではありません。設計過程の意図を知ることも、製品設計を進める設計者にとっては重要な情報源です。

たとえば、コストを考えると「3ミリ」が最適な設計条件であっても、図面を見るとなぜか「5ミリ」になっている場合があります。「ある想定環境でテストした場合、3ミリだと不具合が起きたため5ミリに変更した」といった経緯は、記録がない限り、当時それを担当した設計者しか知りません。このような設計現場での試行錯誤の情報は非常に貴重です。

試行錯誤の経緯を知らないと、次の設計変更で「より薄く3ミリにしよう」と設計が先祖返りしてしまうかもしれません。「いつ、どういう経緯で5ミリと決まったか」「以前はどのような検討が行われたのか」といった設計履歴は、モノづくりの効率化を行う際の重要な情報源となります。

共有フォルダよりも便利なツールとして、文書管理システムが利用されることもあります。

ただし、これら文書管理ツールは日常的なドキュメントを作成する際に使われるWordやExcelなどのアプリケーションに最適化されています。図面のバージョン別にデータを紐付けるのが難しかったり、採番機能がなかったり、ＢＯＭ*（Bill Of Materials）や生産データなどのメタデータを読み込めなかったりと、製品の設計情報を一元化するには無理があります。

設計情報は縦にも横にもつながっていきます。また、常に改定がかかり、改定された内容は関連する人や部門に伝達されなければなりません。このように、設計情報の管理はほかのデータ管理システムにはない独特な特性を持っているため、一般的な文書管理システムを使っても、実現することが難しいテーマでもあります。

この問題を解決するために生まれたのがＰＬＭというソリューションです。１９９０年代には日本にＰＤＭ**（Product Data Management）／ＰＬＭが紹介され、２０００年代には多くの企業で導入が始まりました。

あらためて、ＰＬＭシステムがなかった時代に、なぜ日本の製造業が世界のトップランナーになり得たのか、その要因を考えてみたいと思います。

今も昔も、モノづくりを進めるにあたって、カイゼンを繰り返しながら製品の質を上げていく、もしくはコストダウンを図っていくのは同じです。日々、設計変更が行われ、図面が書き換えられ、その情報を必要な人に正しく伝えながら、製品の競争力は日々、磨かれていきます。

実は、このコミュニケーション力に日本の強みがありました。

日本人は行間を読むのが得意です。気心が通じ合う間柄のことを〝つうかあの仲〟と表現することがありますが、日本人同士だと相手の心情を読み取りやすいため、共有された情報が限定的であっても、行間を読んで仕事を進めることができます。

お客様の立場になって受け取る人の気持ちで物事を考えたり、自分の役割ではなくとも目的を達成するために協力して問題を解決するなど、物事を俯瞰で見たり、長期的な視点で仕事を進めたりすることも日本人は得意です。

ＩＴ技術を活用し、役割別に進められるデジタル系と呼ばれる仕事の進め方に対し、人間系と表現できるシステムが非常に優れており、人による情報共有が長

＊製品を組み立てるときの部品一覧、その階層構造を示す一覧

＊＊製品や設計に関するデータを一元管理する製品情報管理システム

けていた点が、日本の製造業が隆盛を誇った一つの要因といえます。

海外には、行間や空気で通じ合う感覚があまりありません。ドキュメントに書かれたルールがすべてで、たとえ口頭で違うと伝えても、仕事はドキュメント通りに進められます。

時代と共に製造業がグローバル化していく過程で、言葉や対面によるコミュニケーションよりもドキュメント化されたルールを優先することが当たり前になり、日本企業の良さは徐々に消えようとしています。日本で設計したものを海外で製造する場合や、世界中に分散しているエンジニアが共同で設計を進める場合などでは、相手は行間を読むことができません。そのため、日本におけるモノづくりの強みが消されてしまいます。

人が行間を読む代わりに、「情報を共有する」「必要な相手に情報を知らせる」といった役割を担ったのがＩＴでした。当初は共有フォルダにデータを入れ、メールなどで更新を知らせるなどしていた情報共有の仕組みが進化し、製品の開発プロセスにおける効率的な情報共有を実現するデジタルプラットフォームとしてＰ

LMシステムが開発されました。

PLMシステムでは、正式なデータを共有するだけでなく、仕事の流れに応じて情報を必要としている相手に通知することもできます。「担当者が更新したデータを自動的に自分の上司に回覧して承認を得る」「多数決による合意が必要」「複数部門に回覧して承認を得る」「承認できないため担当まで差し戻す」など、仕事の流れは複雑です。製品開発のモノづくりは、複数の異なる部門のさまざまな役割の人と情報共有する必要があるため、権限設定も複雑になります。単純な文書管理システムが持つワークフロー機能や権限設定では対応できない情報の流れも、PLMシステムを使えば対応可能です。

PLMシステムでは、正式に共有するデータだけでなく、SNSでつぶやくように、設計途中の非定型な情報をメッセージスレッドとして残せるのも特徴的です。

PLMシステムに管理されている図面やドキュメントは、PLMシステムが持つビューワーを使えば特別なソフトウエアをインストールすることなく、内容を確認できます。個々の設計図書に対してコメントや注釈、作業指示などをメッセージスレッドとして残すことで、過去のやりとりをさかのぼって経緯を確認することができ、カイゼンの過程を振り返ることができます。

CADなどのオーサリングソフト*がなくとも、ビューワーを通して形状やドキュメントの内容、写真などの画像情報をビジュアルで確認できるため、齟齬が少なくなり、情報共有の精度を向上させることができます。

設計情報管理の難しさ

設計に必要な情報を見つけやすくし、過去の設計情報を再利用し新規設計に活用できるようにするためには、設計情報を一元管理する必要があります。そのためのデータベースシステムの構築はこれまでも取り組まれてきました。

しかし、設計の現場で利用できる製品データベースの構築は、営業向けや購買向けの製品データベースにない難しさがあります。

いくつかの失敗事例をもとに、課題を見ていきましょう。

①品番が統一されていない

製品データベース構築時、最初に頭を悩ませるのが、検索用キーワードとして利用したい製品や部品の品番が全社で統一されていないことです。

本来、同一の製品や部品を特定するために採番される品番は、全社共通で存在しているはずですが、時間の経過と共に部門ごとのローカルルールが付与されていきます。品番の方言ができたり、何度かシステムの刷新を繰り返したりした結果、重複した品番が複数登録され正しい情報がわからない、といったことがよくあります。

＊映像、音声、テキストなどのデータを編集するソフト

製品情報を一元管理するためのデータベースを構築するに際して、品番の正規化やデータのクレンジングを行うわけですが、これに数年かかることもめずらしくなく、製品データベース構築にたどり着けないこともあります。

②言葉の揺らぎが大きい

部品情報として記載されている言葉の揺らぎが大きく、検索してもほしい情報を見つけることができないことがあります。

製品設計時に部品情報として登録される情報には、設計の仕掛け中の情報でもあるため、言葉が定まっていません。ネジ一つとっても、単純に「ネジ」と登録する人もいれば、「皿小ネジ」「マイナスネジ」「3ミリのねじ」など表記方法が異なります。そのため、せっかく情報が蓄積されているにもかかわらず、システムを検索してもほしい情報を見つけづらいことがあります。

③キーワードで検索できる項目が固定

いくつかのキーワードを組み合わせることで、検索対象をヒットしやすくすることができます。しかしこの検索キーワードも、時間と共に新しいキーワードが必要になったり、使わなくなったキーワードが出てきたりします。

たとえば、これまではあまり考慮しなくても良かった温室効果ガスに関する情報なども、カーボンニュートラルの取り組みと共に、今日では製品データベースへの追加要望として求められています。

設計開発は、新たな材料や新しい技術に取り組み、革新的な製品を実現していく作業です。そのため、既存のシステムに用意されていない新しい情報を、追加で管理する必要性が出てきたりします。しかし、一度構築したデータベースの変更は非常に多くの手間とコストがかかるため、製品データベースのアップデートがおざなりになっていると、次第に誰も使わないシステムになっていきます。

④検索用にタグをつけてみる

言葉の揺らぎの統一や、検索できるキーワードを自由に増やすことができるため、部品情報にタグをつけて管理する取り組みも行われています。タグなら登録する言葉の表現を統一したり、容易に種類を増やしたりすることができます。

しかし、簡単に運用できるがゆえに、分類するカテゴリーの定義が不明瞭だと、同じ部品に多数のタグをつけてしまい、結果、必要とする情報を見つけることが難しくなってしまうことがあります。

⑤全文検索してもほしいものが見つからない

キーワードでなく、自由な文字列を使って情報を検索できるように、全文検索エンジンを導入することがあります。全文検索エンジンを使えば、言葉の揺らぎやキーワードの過不足などを気にせず部品情報を検索することが可能です。

全文検索エンジンを運用するには、キーワードを類義語としてまとめるシソーラス辞書の整備をきちんと行う必要があります。辞書の整備が不十分だと検索のヒット率も落ちてきます。

⑥情報の関連性が追えない

設計で利用する製品データベースは、品番と品目に関わる属性だけを管理できれば良いわけではありません。設計情報は常に改定が発生し、情報は履歴管理されていきます。

製品に不具合が発生した場合、不具合の状況を知らせる不具合報告書を発行するだけでなく、当該品目に対する設計変更票を起票し、関連付けて管理します。不具合を解消した経緯はノウハウとして活用できる重要な情報です。不具合発生時の品番と、不具合を解消した新しい品番を分けて管理し、これらのデータをすべて関連付けて管理できないと、情報を再利用する際に有効なデータベースとして使えません。

最新のデータだけを管理すれば良い営業部門や購買部門のシステムにくらべ、設計部門のシステムは独特の難しさがあります。

このような設計情報間の関連性の課題を、ＰＬＭシステムではリレーションシップという仕組みで解決しています。

⑦情報が分散しているため正しい情報の在り処がわからない

最初は全社を挙げて共通の製品データベースを構築しても、その後、時間の経過とともにさまざまな新システムの導入が検討され、結果、新しいシステムにも同様の情報が入力され、データは分散して管理されていきます。

データが分散して管理される主な原因は、システム間のインターフェースが柔軟に構築できないことが挙げられます。設計情報がCADファイルの中に管理されていてCADを使わないと情報が見えない、他のシステムと連携するためのAPI*（Application Programming Interface）が十分用意されておらずシステム間のデータ連携ができない、人が介在しないとうまくデータを連携できない、といったケースが見られます。

システムを提供するソフトウエアベンダー側の囲い込み戦略がこのような状況に影響していることは無視できません。

モノづくりの情報は複雑にからみ合っています。各分野のスペシャリストが、自分の担当業務を超えて情報を簡単に見つけることを可能にするためには、信頼できる唯一の情報源（Single Source of Truth）としての設計情報プラットフォームが必要です。

これからのＰＬＭシステムには、検索キーワードを自由に変更できたり、他のシステムと柔軟に連携できたりするフレキシビリティが求められます。

＊ ソフトウエア同士が情報をやりとりするときに使用するインターフェースの仕様

トヨタ、ホンダ、日産は同じモノをつくっているけれど……

市場では、複数の企業から同じカテゴリーの製品が登場し、競争をしています。たとえばトヨタ、ホンダ、日産は、「タイヤが四つあり、ハンドルで操作し、人が乗って移動する」という、同じコンセプトのモノをつくっています。しかし商品化された自動車は三社三様で、同じではありません。ここが製造業のおもしろさではないでしょうか。

たとえば、トヨタはトヨタ生産方式に代表されるように、「次工程はお客様」という考え方でモノづくりを進めます。それぞれの工程が有機体であり、意思のある活動体として存在し、業務を引き渡す次工程を考慮しながら仕事を進め、モノづくり全体のプロセスを効率的につなげ、高い品質を保持しながらコストパフォーマンスの高さも実現しています。

ホンダで用いられている手法は「ワイガヤ」です。わいわいガヤガヤ集団で議論を重ねて物事の本質を見定め、より高い目標を達成したり、イノベーションにつなげていったりする手法です。ワイガヤは、ボトムアップで現場の意見を取り込みながら、より良いものをつくる、といった現場からのアプローチを大切にしています。

日産の特色は技術志向といえます。ゴーン改革でより欧米流の上意下達の命令系統になりましたが、日産は昔から「技術の日産」と呼ばれ、企業カルチャーをよく表す言葉として使われていました。組織の中の意思伝達系統が統制され、組織力を活用しながら、フェアレディやスカイラインといったオリジナリティの高い車をつくったり、他社に先駆けて先進的なテクノロジーを商品化したりすることが上手な会社です。

企業文化はそれぞれの企業におけるコアコンピタンス*です。トヨタがホンダの

＊他社にマネできない核となる強み

ようにワイガヤでモノづくりをしようとしてもうまくいかないのは明白です。同じようにホンダで日産流のモノづくりを実現しようとしても、うまくいくとは思えません。

最適なモノづくりのプロセスは、それぞれの企業文化が大きく影響しながら、形づくられていくものなのです。

ＰＬＭシステムを導入する際、「自社にはノウハウがないので、最初は他社でうまくいっているＰＬＭの仕組みをそのまま導入したい」という相談を受けることがあります。しかしほとんどの場合、運用直前になってさまざまな個別のカスタマイズ要望が発生し、結果として自社向けのカスタマイズを行うことになります。

これも、企業文化が関係しています。

モノづくりのプロセスをデジタル化するＰＬＭシステムの場合、他社での成功事例をコピーして導入しても、他社と同じレベルになることはあまりありません。マネをした企業より低いレベルの効率化しか達成できないのが現実です。モノづくりの情報基盤であるPLMシステムを構築するに際し、自社のカルチャーを軽視して導入を進めた結果、使われなくなったPLMシステムを多く見てきました。

部品表の構成の持ち方や効率的に設計変更を行う機能など、他社の機能や工夫が自社のPLMシステム構築の参考になることはあります。しかし、設計成果物を効率的に活用するプロセス、設計成果物間のリレーションの持たせ方、承認回覧のルートは各社各様です。

本来、ITは自社の強みを強化するために導入されます。PLMシステムの導入に際しては「自社の強みは何か？」「強みを強化するためにはどのようなITを導入すべきか？」を自分自身で考える必要があります。

PLMシステムの構築は、単にソフトウエアを導入することではありません。ITを使ったデジタル化を通して、「どのように自社のモノづくりプロセスを効率化できるのか」を考えたうえで、導入を進める必要があります。これがPLMシステム構築のおもしろさでもあります。

モノづくりの世界は「システム」を「業務」に合わせる

一方で、他社で導入されている同じ仕組みのシステムをそのまま導入し、成功する事例もあります。たとえばＥＲＰがそれにあたります。

ＥＲＰシステムは、企業の情報を一元管理するシステムとして、ＰＬＭシステムと同じ基幹系情報システムに分類されます。ＰＬＭとＥＲＰの違いは、ＥＲＰのベースが会計システムであるという点です。

会計情報が会社によってルールが異なると、企業活動を公正に評価することができないため、世界で統一の会計基準が制定されています。ＥＲＰはこの会計基準にのっとって設計されたシステムです。

ＥＲＰのように、法律、ルール、レギュレーションなどが決まっているものは、他社で導入されているシステムを導入し、業務をそのシステムに合わせることで、いち早くルールを導入して、遵守できます。他社が導入して成功した事例があれば、自社への導入を積極的に検討して良いと判断できるパターンのシステムです。

システムの特性として、各社各様にしなければならないＩＴ（ＰＬＭ）と、同じで良いＩＴ（ＥＲＰ）があることを認識することが重要です。

企業文化はモノづくりプロセスのあらゆるところに顔を出します。組織の体制や、品番の付け方、言葉づかい、現場で使われている用語などです。

たとえば、一連の設計作業が完了した際のイベントを表す「出図」という言葉があります。「出図」とは、設計された内容を承認して、情報を後工程に配布するイベントです。一般的に「出図」と呼ばれるこのイベントは、トヨタでは「号口」と呼ばれています。

また、一般的には部品表やＢＯＭと呼ばれる製品の構成管理方式を、航空業界では号機管理と呼んだり、造船業界では船番管理と呼んだり、企業ごとまたは業界ごとに慣れ親しんだ呼び方があります。

このように、「出図」一つとっても、言葉が指す業務の範囲は企業によって異なるため、「現場で日ごろ使っている言葉に合わせてほしい」「弊社では出図時に○○という作業も行っている」といったリクエストが出てくるわけです。

ＰＬＭシステムは各社各様の要件に対応したＩＴであることが求められるため、ＰＬＭシステムの導入は、「システムを業務に合わせる」構築方法をとる必要があります。

「業務に合わせる」システム構築は、そう簡単ではありません。なぜなら、業務は常に変化をしていくからです。

常にクオリティを追求しながらコストダウンを図るのがビジネスです。一歩先を読んで、フレキシブルに対応できる企業、継続的なカイゼンができる企業ほど競争力をつけます。良い会社ほど変化が頻繁に発生しますが、多くのシステムは業務の変化に追随して頻繁に変更することを苦手とします。

一般的なシステム構築の進め方は、まず数カ月かけて顧客のリクエストを丹念に聞くことから始め、システムとして実現すべき要求機能を明らかにします。その後、数カ月かけてプログラムを組んでいきます。

この、プログラムを書いてシステムを構築しているあいだに業務プロセスが変更になると、システム構築をやり直す必要があり、コストと時間が余計にかかります。コストと時間を気にしてシステムを予定通りに開発してしまうと、結局は使えないシステムになってしまいます。

仮にコストと時間があったとしても、カイゼンした業務に合わせてシステムを開発・修正しているあいだにまた業務がカイゼンされ……とキリがなくなってしまうことでしょう。

一般的にＰＬＭシステムの導入の成功率が高くない理由として、このように「システムを業務に合わせる」ことが求められている点が挙げられます。

ＰＬＭシステムは自社の企業文化に合わせることができ、かつ業務のカイゼンにも素早く対応できるフレキシビリティが求められます。この相反する要件に対応し、業務に合わせたＰＬＭシステムを実現する方法は、このあとの章でお話ししたいと思います。

クローズドイノベーションで進められるシステム構築

最近、オープンイノベーションという言葉をよく耳にするようになりました。オープンイノベーションとは、研究開発や製品開発、技術開発やプロセス改革などに際し、他社が持つ技術やノウハウを取り込み、イノベーションを実現する方法です。自前主義をやめ、他社の良いところや成功事例をどんどん取り込んでいこうという考え方です。

あまり聞き慣れませんが、オープンイノベーションの対比語にクローズドイノベーションという言葉があります。クローズドイノベーションは研究開発や製品開発、技術開発やプロセス改革などに必要な技術やノウハウを自前のリソースでまかなうことです。これは、他社にマネされないように、自社で成功したノウハウを社内にとどめておくという考え方に基づいています。

以前は、このクローズドイノベーションが一般的でした。しかし現在では、少々時代遅れの考え方になっています。

インターネットが発達した今日、アプリケーションやシステムに関する情報、たとえばアプリケーションの使い方やシステムのトラブル、エラーの意味や解決方法などは、検索すれば簡単に得られます。わざわざ専門家に聞かなくとも、問題を解決することができるようになってきました。しかし、システム構築の世界は依然としてクローズドイノベーションのままではないでしょうか。

他社での成功事例は比較的聞くことはできますが、深くまで解説されることはあまりありません。また、成功にいたるまでの試行錯誤などの情報は省略されて説明されます。失敗事例となると、ほとんど目にすることができません。

失敗事例などが公開され、共有できればシステム構築の成功率は飛躍的に向上します。他の企業で同じような取り組みが行われている場合、かなりの確率で同じような失敗をし、同じようなタイミングでつまずくことが、経験値としてわかっているからです。

失敗事例、成功事例、問題の解決法などが情報として共有されない一番の理由は、システム構築を手掛けているSIer*(System Integrator)やシステムを提供するソフトウエアベンダーがノウハウを公開していないからです。システムを利用するユーザー企業にとって、同じシステムを何度も導入することはまれで、多くの場合、同じシステムの導入は一度きりです。一方システムの導入を請け負うSIerやベンダーは、同じシステムを複数の企業に対して何度も導入しているため、システム構築のノウハウは蓄積されていきます。

しかし、SIerやベンダーはこれらの情報を公開することはありません。なぜなら、蓄積したノウハウをクローズドにしたまま、システム構築の実績をアピールして、受注競争の勝率を上げたいからです。また、失敗事例をできるだけ伏せることで、美しいビジョンだけをユーザーに伝えたいという営業的な心理も働いています。

本来であれば、システム構築の世界にもオープンイノベーションが起こり、共有されている失敗事例を参考にリスクを回避して、システム構築の成功確率を上げていくことが理想です。システム構築の成功率の低さは、日本の製造業が抱える課題でもあります。

オープンイノベーションを起こすためには、情報が公開されていなければなりません。しかし、苦労して構築したシステムのノウハウは、ベンダーだけでなく、ユーザー企業も公開をためらいがちです。先行着手した企業がノウハウを公開する場合、「自分たちが苦労して得たノウハウを参考にされると、後発の企業にすぐキャッチアップされてしまう」という心理が働くからです。

この心配は、はたして本当でしょうか？

＊エスアイヤー：システム開発や運用などを請け負う企業

先にも述べたように、ＰＬＭシステムは「システムを業務に合わせて」導入していくものです。まったく同じシステムをコピーして導入しても、同様の効果を出すことはできません。参考になるのは、他社が持つノウハウのうち、共通の問題の解決方法や似たような失敗の部分です。ＰＬＭシステム構築の成功率を上げるには、共通の課題はオープンイノベーションで情報を開示し、自社のとんがった部分はクローズドにするといった考えが必要です。

ボトルネックになっている課題や、その解決方法、失敗にいたった経緯など、同じ過ちを犯しやすい事象はオープンにして情報を共有すると、情報を発信する側、受け取る側双方にメリットがあります。

先に情報を公開し、その情報を参考に成功した後発プロジェクトの情報も公開される。その後、後発プロジェクトのノウハウを、先行着手した企業が参考にする、といった情報共有のサイクルがまわる事例は多々あります。ＰＬＭシステムは、継続したカイゼンを続けて「システムを業務に合わせて」改良していく必要があるからです。

ＰＬＭシステムの構築ノウハウを公開し、オープンイノベーションを実現することで、日本の製造業のＩＴ化の遅れを挽回し、システム構築の成功確率を上げていく……。これこそ、日本の製造業が取り組むべき課題だと考えます。

システム構築は、単なるデジタイゼーション、デジタライゼーションに過ぎません。ここでつまずいていては、ＤＸを実現することはできないでしょう。

デジタイゼーションのノウハウは公開・共有し、ＤＸとして実現するとんがった部分はクローズドにする。このようなオープンイノベーションの浸透が日本の製造業には求められています。

モノづくりの重心が変わってきた

今、モノづくりの重心が変わってきています。

従来であれば、機能を機械的に実現する製品は機械設計者が、電気的に機能を実現する製品は電気設計者が製品開発を担当していました。機械と電気のハイブリッドの製品はメカトロニクス製品として設計開発に取り組み、これらの設計情報管理をPLMシステムとして実現することは比較的容易でした。

しかし、今日の主流はコネクティッド製品です。さまざまな製品がインターネットに接続され、新しい価値を創造しています。

メカトロニクス製品の設計現場では、以前からソフトウエアの情報管理も一つのテーマでした。コネクティッド製品ではモノのふるまいをソフトウエアが制御し、かつインターネットを経由してアップデートもできるため、製品を制御するソフトウエアの役割が拡大しています。

ＰＬＭシステムの多くは、３次元ＣＡＤのデータ管理を実現するために開発されてきました。また電気ＣＡＤベンダーが開発しているＰＬＭシステムは、電気ＣＡＤのデータ管理に特化して開発されています。そのため、多くのＰＬＭシステムではソフトウエアの設計情報管理をうまく扱うことができません。

例として、温度計のコネクティッド製品のふるまいを用いて説明してみます。温度計として温度を示す可動部分は、表示盤と針といった単純な機構です。温度を感知する部分は電気的な制御が行われているかもしれませんが、比較的単純です。

しかしコネクティッド製品の場合、「検知した温度に応じて冷房や暖房を入れる」「電気の使用量を制御する」など、温度計から関連する製品に指示が飛んで、ほかの機構や製品と連携してさまざまなサービスを提供します。これらのコントロールはすべてソフトウエアが行います。さらに、コネクティッド製品はインターネットを経由してソフトウエアをアップデートできます。

このように、コネクティッド製品の特徴は、コネクティッド製品自身のふるまいをソフトウエアが制御するだけでなく、ソフトウエアがほかの機器とも連携しながら動くことができるという点にあります。

さまざまな製品と連動して動くコネクティッド製品の設計情報管理において、ソフトウエアの管理は必須です。しかし3次元CADや電気CADを中心に開発が進められたPLMシステムでは、ソフトウエアをうまく管理することができません。そのため、ソフトウエア管理に特化したソリューションを組み合わせてPLMシステムを構築することになります。

ソフトウエアに関わる設計情報と電気回路や機械の仕組みに関する情報を別々に管理していると、変更内容を迅速に伝えることができません。DX時代のPLMシステムはメカニカル、エレクトリカル、ソフトウエアの情報がデジタルでシームレスにつながっていることが求められます。

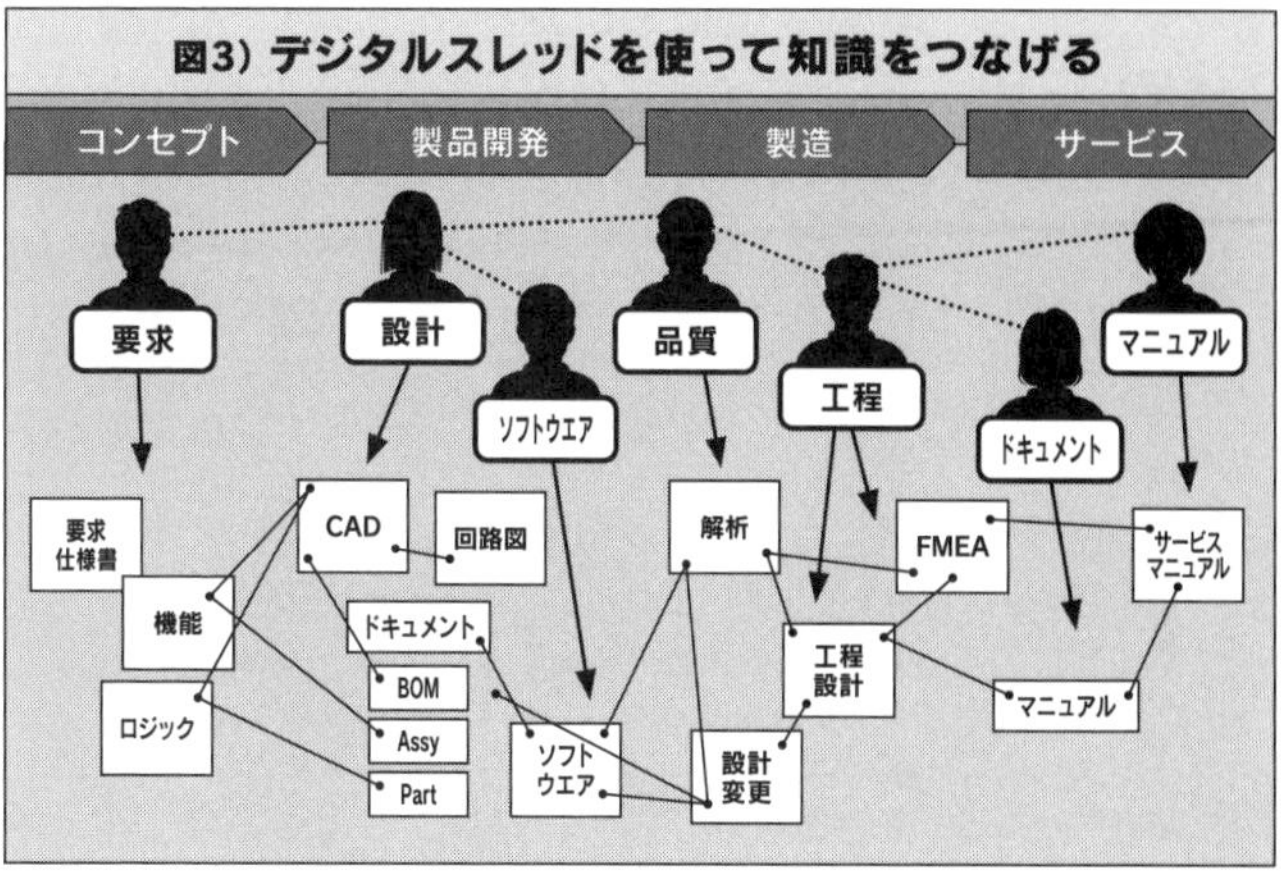

このように、関連する情報をデジタルでつなげて管理する仕組みは、デジタルスレッド（デジタルの糸）と呼ばれています（図3）。

ソフトウエアをアップデートして製品の機能を更新できるようになると、サイバーセキュリティや、ソフトウエアアップデートにおける品質も確保する必要があります。インターネット経由で不当にハッキングされ、悪意のある第三者に製品が乗っ取られないようにすることは当然の対策です。

さらに、ソフトウエアをアップデートしたあとも、製品として品質を担保できていることが望まれます。メーカーは、製品に対しソフトウエアをアップデートした際にも、機械的または電気的な性能を維持し、漏れ抜けなくテストを行い、品質を保証しなければなりません。今日のＰＬＭシステムには、このような製品のテスト結果を確認する仕組みも求められています。

コネクティッド製品では、インターネットを経由して日々の運用データがメーカーにフィードバックされていきます。

これにより、コネクティッド製品から送信されたデジタルデータを使って、実際にユーザーが利用しているリアルな製品の利用状況を仮想的に再現することが可能になってきました。このような、リアルなモノの動きをバーチャルで実現するデータのことをデジタルツイン（デジタルの双子）と呼んでいます。

せっかくコネクティッド製品から情報を発信する仕掛けをつくったとしても、それを有効活用できる仕組みがなくては宝の持ち腐れです。メーカーは、コネクティッド製品から受信したデータを、発信元の製品ごとに分けて管理する必要があります。

デジタルツインデータを発信する製品は、それぞれ利用環境が異なります。頻繁に修理している製品もあれば、ほとんど故障していない製品もあり、これらの製品の利用状況を無視してデジタルツインデータを混在した状態で管理していては、せっかく集めたデータを有効活用することができません。

デジタルツインデータの活用に際しては、コネクティッド製品から発信される日々の運用データを、デジタルツイン・パフォーマンスデータとして管理します。また、利用状況に応じて、補修履歴などを含めた個々の製品の構成管理をデジタルツイン構成として管理し、デジタルツイン・パフォーマンスデータを正しくデジタルツイン構成につなげて管理することが望まれます。

製品は日々進化しています。製品情報を管理するＰＬＭシステムも製品の進化に応じて対応できる柔軟性が求められます。

モノではなくサービスを売るという世界

製造業でつくられる製品の価値が、「モノ」から「コト」にシフトしています。モノとは製品が持つ機能のこと、コトとはその製品を使って得られる体験のことです。世の中にすばらしい製品は多く存在しますが、それらの差別化要素は今日ではコトが中心となっています。

たとえば、iPhoneを製品として分類すると電話というカテゴリーになるでしょう。モノとしてiPhoneはすばらしい機能を備えた電話（スマートフォン）です。

しかし、機能という点だけでとらえれば、性能として優れているスマートフォンは世の中にはたくさんあります。iPhoneが多くの人に愛用されている理由には、さまざまなサービスとして「コト」が同時に提供されていることが挙げられます。地図が使える、音楽が聴ける、映像が見られるだけでなく、MacやiPad、Apple WatchやAir Podsなどのほかの製品と連携して新しいライフスタイルを体験することができます。

このように、製品の価値がモノからコトに移っているわけです。「コトを提供するためのサービスをいかに提供していくか」が、これからの成長のカギとなっているのです。

「サービスの提供」とひと言で言っても、簡単にできるものではありません。サービスを提供するということは、新しいビジネスモデルを実現するということです。新たなビジネスは何が成功するのか予測ができません。ビジネスを成功させるには何度もトライし、トライした結果を吟味し、カイゼン要望として製品またはサービスにフィードバックするといった活動を継続して取り組む必要があります。

このトライ&エラーに活用できるのが、デジタルツインデータです。

実際に使われている製品の利用状況であるデジタルツインデータを使えば、さまざまなシミュレーションを行い、モノやコトのカイゼンにつなげることができます。

リアルなデジタルツイン・パフォーマンスデータを集め、正しいデジタルツイン構成に紐付け、デジタルツイン構成別にシミュレーションを行い、新しいモノやコトのカイゼンにつなげる……これらの情報を一元管理し、信頼できる唯一の情報源（Single Source of Truth）を実現するPLMシステムの役割は、これからより重要になってきます。

これからのPLMシステムは、サービスの成長に合わせて継続してカイゼンできる柔軟性と、モノやコトの成長に合わせてPLMシステムを柔軟に拡張しつつも、設計データは継続して利用できる永続性が必要です。

「モノを売る」視点から「サービスを売る」視点への変革は、一朝一夕にできるものではありませんが、PLMシステムに製品データが集まってくると、デジタルデータをさまざまな形に加工して再利用することが可能になります。

おもてなしの精神がある日本人は、かゆいところに手が届くカイゼンが得意です。オープンイノベーションで他社の事例を参考にして継続的にカイゼンを繰り返し、海外の企業に負けないとんがったサービスを実現するというシナリオは、日本企業が得意とするアプローチだと考えます。

自動車も製鉄も紡績も、日本が最初に発明した製品ではありません。しかし、先行していた企業や国を追い越し、やがて世界一に昇りつめました。

デジタルトランスフォーメーションの時代、サービスを実現していくには、地道なカイゼンが必要です。カイゼンに必要な製品情報を統合管理する製品情報プラットフォームを実現するために、ＤＸ時代に合わせたＰＬＭシステムの整備が日本企業復活のカギといえます。

第二章

デジタルプラットフォーム構築の阻害要因

限定した範囲で利用されてきたPLMシステム

ＰＬＭシステムの導入は費用対効果が見えないとよくいわれます。また、既存のＰＬＭシステムが、当初予定していた範囲からかなり縮小してGo Live*を迎えているプロジェクトもよく見かけます。

このような状況を揶揄して、「ＰＬＭプロジェクトを成功させるには10／10／１００の方程式を使え」などといわれることがあります。最初の10の意味は、当初計画していた利用ユーザー数を10％に削減する。２番目の10は当初予定していたリリース機能を計画の10％に削減する。最後の１００は投資費用を１００％アップさせるという意味です。

極端な表現ですが、現場では近しいことが起こっていることも事実です。

ＰＬＭプロジェクトがなかなかうまく進まない理由としては、システム構築のプロジェクトマネジメントがうまくできていないことが挙げられますが、それ以外にも、大きな要因は五つあると考えられます。

①限定した範囲での利用
②業務をシステムに合わせて導入
③ＣＡＤデータ管理を中心とした機能展開
④システムのアーキテクチャが統一されていない
⑤既存システムと柔軟に連携できない

①限定した範囲での利用

ＰＬＭシステムはその名前の通り、プロダクト・ライフサイクル・マネジメントを実現するためのシステムです。製品開発プロセスの企画から設計、品証、生

＊ 稼働する、立ち上がること

産、サービスまでの設計情報を一元管理し、モノづくりに関わる人に適切なタイミングで正しい情報を提供することで、製品開発プロセスの効率化を実現する仕組みです。

製品開発プロセスでは、前工程の成果物を参照し、自工程の作業を進め、できあがった成果物は後工程作業のインプットとして情報が流れていきます。モノづくりでは、製品ライフサイクルのすべてにわたって情報とプロセスがつながっているのに、限定された領域でしかＰＬＭシステムを利用していないのであれば、本来享受できるはずのＰＬＭシステム導入効果を得ることはできません。このようにプロセスを無視したシステムの導入が一つの要因として挙げられます。

②業務をシステムに合わせて導入

ＰＬＭベンダーはよく、「弊社の製品は○○社で採用されていますので、このシステムの機能を使えるように、御社の業務を変えてください」などと平気で言いますが、ＰＬＭシステムに合わせて、業務を変えることは本当に正しいのでしょうか？

モノづくりのプロセスには、企業のカルチャーが反映されています。企業が持つカルチャーを無視しては、業務を効率的に進めることができません。PLMシステムの導入に際しては、「業務をシステムに合わせる」のではなく、「システムを業務に合わせる」アプローチで臨むべきだと考えます。

③CADデータ管理を中心とした機能展開

PLMシステムはCADシステムを開発している会社から提供されているものが多いため、おのずと自社のCADとの連携に力が入れられています。

しかし、製品開発の各プロセスでは、製品開発に必要なデータを作成するのに、CAD以外のツールも使っています。CADで作成されたデータはその一部分でしかありません。PLMシステムには、さまざまなオーサリングツールから作成された多様な種類のデータを管理でき、設計データ間の関連性を柔軟につなぐことができる仕組みを構築できることが求められています。

④システムのアーキテクチャが統一されていない

プロダクトのライフサイクルにわたるさまざまな作業をカバーするPLMシステムは、CADデータや部品表のデータ管理以外にも、プロジェクト管理機能、品質管理機能、工程管理機能など、モノづくりに関する多様な機能が求められます。

多くのPLMシステムは〝カタログ〟上はこれらさまざまな機能をカバーしているとしていますが、実際には各機能が別のサーバー上で動いていたり、データベースが分かれたシステムであったりすることもあります。

機能ごとにサーバーやデータベースが分かれていては、PLMシステムが本来実現しなければいけない、プロダクトライフサイクルにまたがるデジタルスレッドの構築が難しいことは、容易に想像できるのではないでしょうか。

⑤既存システムと柔軟に連携できない

PLMシステムは、単独で成り立つことはあまりありません。多くの場合、採番をする仕組み、日程情報、原価情報などを管理している既存のシステムと連携しながらシステムを構築していきます。そのため、PLMシステムを導入する際に、ソフトウエアベンダーから「既存システムも一緒に新システムに置き換える」提案をされることがあります。

たしかに、すべての機能を新ＰＬＭシステムで実現できれば、アーキテクチャが統一されるのでシステムの構築は容易です。しかし、ＰＬＭシステムのアーキテクチャが公開されていないクローズドなシステムの場合、既存システムと柔軟に連携することができず、システム間をつなげるために人が介在するプロセスを新たに発生させてしまうことがあります。

ソフトウエアベンダーはＰＬＭシステムの視点しか持ちませんが、利用ユーザーはより広くＰＬＭの視点を持ってシステム化を考えていく必要があります。

これらの課題の多くは、ＰＬＭベンダーがより多くの領域で自社の製品を買ってもらおうという考え、すなわち「お客様をロックインしたい」という戦略からきています。

なぜ、このようなことが起こるのか、ベンダーロックインの問題について考えてみましょう。

ベンダーロックインという沼

ソフトウエアの機能や仕組みを、独自の仕様にしたり非公開にしたりすると、今契約している事業者（ベンダー）から他社へ乗り換えることが困難になります。このように、特定の事業者に依存してしまい、ベンダーの切り替えができず利用し続ける状態を「ベンダーロックイン」といいます。

ベンダーロックイン状態になると、特定のベンダーからの購入を継続するため、システムの開発費やライセンス使用料などが高額になりがちです。競争相手がいないため、サポートや機能改修などの対応スピードが遅くなったり、おざなりにされたりして、結果的にソフトウエアの品質が劣化し、業務改革の足を引っ張る事態を招くことになります。

２０２２年2月8日、情報システムの調達に際し、多様なベンダーの新規参入を促進し、新たなイノベーションの創出につなげるために、公正取引委員会は「官公庁における情報システムの調達の実態」を調査しました。

この調査では、「既存ベンダーと再契約した事例があるか」という質問に対し、98・9％が〝ある〟と回答しています。その理由は以下の通りです。

○既存ベンダーしか既存システムの機能の詳細を把握することができなかったため
○既存システムの機能（技術）に係る権利が既存ベンダーに帰属していたため
○既存ベンダーしか既存システムに保存されているデータの内容を把握することができなかったため
○既存システムに保存されているデータに係る権利が既存ベンダーに帰属していたため

まさに、ベンダーロックイン状態が浮き彫りにされている結果ですが、この状況は官公庁だけでなく、多くの民間企業でも同じことが起こっています。

PLMシステムをベースにデジタルプラットフォームを実現し、DXを推進しようとする場合、ベンダーロックインが大きな障壁となる可能性があります。「業務をシステムに合わせてください」というフレーズは、一見ベストプラクティスを簡単に取り込む、正しい判断のように聞こえます。しかしPLMシステムでは、自社のカルチャーを変えてまでシステムを導入するのは逆効果です。また「既存のシステムも併せて弊社製品のシステムに置き換えた方が効果的です」や「カスタマイズせずに標準機能のまま使いましょう」という言葉の裏には、システムに柔軟性がないことを悟られないために行うセールストークの側面もあります。買う側としてはこのあたりの見極めはきちんと行わなければなりません。

ベンダーを使ってシステム構築を手がけるのは、ノウハウがない状況や開発リソースが足りない場合は良い打ち手です。しかし、何もかも丸投げでベンダーに任せてしまうと、ちょっとしたシステムの改修などでも高い金額の見積もりが提示され、タイムリーな機能拡張ができません。結果として、システムの陳腐化が防げなくなります。

ノウハウを持っているベンダーやコンサルタントの力を借りながら、効率的にシステム構築を進めるとともに、導入したシステムのノウハウは自社内に蓄積するといった手の内化も同時に取り組んでいくことが、あるべき姿だと思います。

DXとは、デジタル化された環境を用いてビジネスプロセス全体を再設計し、企業に新たな付加価値を創出する取り組みです。

製品開発領域でDXを実現するには、個々の設計開発プロセスのデジタル化を進める（デジタイゼーション）とともに、設計情報の共有ができるデジタルプラットフォーム上で、データを統合管理し（デジタライゼーション）、このデジタルプラットフォームを軸にして新しいビジネスプロセスを構築（デジタルトランスフォーメーション）していきます（図4）。

図4）製品開発領域のデジタル化

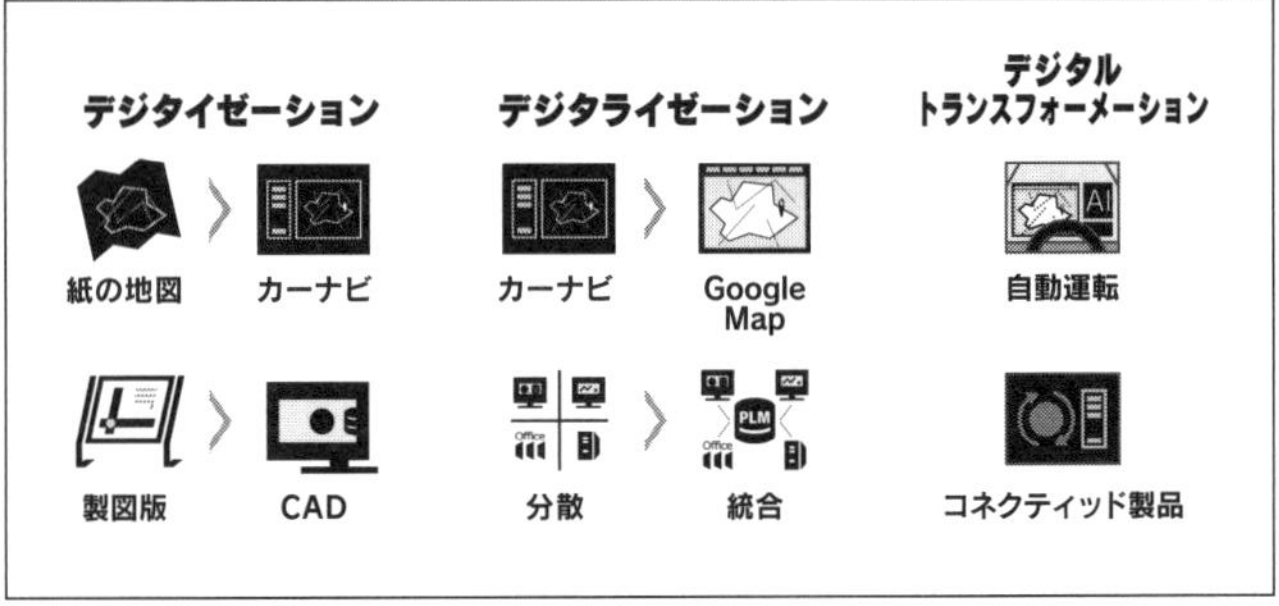

新しいビジネスプロセスは一度や二度の取り組みで実現できるものではありません。スモールスタートで迅速にトライし、フェイルファストで不都合な部分を素早く見つけ、カイゼンを継続していく必要があります。

ところが、ベンダーにロックインされていると、スピード感はもとより、システムの活用にも制約が出て、ビジネスプロセスのあるべき姿を阻害する要因につながりかねません。DXとは部分最適ではなく、デジタル技術を使って業務プロセス全体を再構築し、新たな価値を創出する取り組みです。そのためベンダー任せにせず、ユーザー側がしっかりとしたビジョンを持ってDXに取り組む必要があります。

先の公正取引委員会のレポートでも、ベンダーロックインを回避する競争政策上の検討事項として次の四点が挙げられています。

○情報システムの疎結合化
○個々の情報システム間における円滑な連携
○オープンな仕様の設計や情報システムのオープンソース化
○官公庁における組織、人員体制等の整備

設計エンジニアリング領域でよく使われているオーサリングツールのCADは、データの互換性がなかったり、設計に関わるすべての情報が一つのファイルの中で管理されたりしているため、コストや重量などの属性を使った簡単な積み上げ計算も自由にできないこともあります。

このようなロックインの状況を打開する方策として、CADで形状データを作成したあとは、PLMシステムで形状データを共通フォーマットに変換して誰でも参照できるようにするとともに、CADデータと切り離して構成データの管理を行うといったことも可能になってきました。

これにより、形状情報、属性情報および構成情報をそれぞれ分離して管理できるようになり、データの再利用を促進することが可能となります。このような形で、ユーザーがデータを自由に活用できるようにして、アプリケーションによるベンダーロックインを回避する取り組みも始まっています。

言葉はやわらかいが、実はかたいソフトウエア

製造業におけるモノづくりのコアを担うエンジニアリングシステムは、「シス

テムを業務に合わせて」いかなければいけないと紹介しました。

しかし、業務は絶えず変わります。逆に、変わらなければ生き残れない世界でもあります。システムを構築するためにせっかく合意を得た要件定義も、時間がたてば変わってしまいます。システムを変更せずに放置すれば、現状の業務に合わない使いづらいシステムに変化してしまうのです。

システムの機能を変更するためには、再度、要件定義を行い、プログラムを改修し、新しいシステムに不具合がないかをテストしたあと、新バージョンとしてリリースするという手順を踏みます。それ以外にも、費用が発生する場合は予算申請をしたり、予算の承認を受けるための提案をまとめたりといった多くの手順を踏む必要があります。

〝ソフトウエア〟というやわらかそうな言葉のイメージに反して、ソフトウエアで構築するシステムは非常にかたいものなのです。

ソフトウエアをかたくしている理由はいくつかありますが、大きなものとして三つの要因を挙げることができます。

①ソフトウエアやツールありき

意外とあるのが、システムとして活用するソフトウエアやツールが先に決まり、そのあとでプロセスをデザインして当てはめていくパターンです。

システム選定を行う際に行われるＲＦＩ*（Request For Information）のフェーズでは、ソフトウエアを開発しているベンダーにシステムの機能に関する質問事項を送り、その回答を参考に複数のシステムを比較して選定を行います。

しかし多くの場合、この時点では新しい業務プロセスのデザインがまだできていません。もしくは概要レベルで、詳細まで落とし込まれていない場合もあります。

このような状況では、主に機能レベルの比較でシステムの選定が進められることになり、比較の星取表は良くも悪くも似たような状態で優劣がつけにくいことがほとんどです。

結局は、「業界でナンバーワンだから」「最近はやっているから」「同じ会社で開発され販売されているから」といった理由で選択されてしまいます。

システムの選定では、機能の充足度はもちろんですが、ソフトウエアのアーキテクチャもしっかり吟味することが必要です。アーキテクチャがオープンになっているか、自分たちでどの程度までカスタマイズすることが可能なのか、システムの仕様がどの程度公開されているか、拡張性や他システムとの連携方式およびサポートや不具合における対応のレスポンスタイムはどうかなど、実現しようとしているシステムに十分に対応できる適応性を持っているかどうかを検討することで、システムの硬直化による〝かたいソフトウエア〟を未然に回避することができます。

②システムの構築方法

2000年ごろ、日本でも「要求」「設計」「実装」「テスト」という開発工程を短期間で繰り返して、優先度の高い機能からリリースするアジャイル開発の導入が広がりました。

アジャイル開発の方法論を用いることで、業務に必要な機能を短期間で開発し、運用を始めるサービスインまでの期間を短縮できるようになります。アジャ

＊プロジェクト開始にあたって情報収集を行うための情報提供依頼書

イル開発は、開発のサイクルを繰り返して機能をブラッシュアップしながら拡張することで、継続的にビジネスメリットを出すことを目指した開発方法論です。

短期間でシステムを開発し、順次機能を拡張したり不具合を早期に改修したりできるアジャイル開発は、ソフトウエアの開発手法として大きなメリットがあるため、世界での普及率は60％以上といわれています。しかし、日本での普及率は30％前後にとどまっています。

日本で普及が進まない一番の理由は、不具合を含んだシステムを業務で使うことを好まないという文化にあります。アジャイル開発は開発サイクルが短く、不具合が出たらすぐに修正すれば良いという考え方なのですが、これがなかなか日本企業に受け入れられません。

結局、ウォーターフォール（要件定義から設計、開発、テストのように上流から下流にそって開発を進める手法）で、時間をかけてシステム開発している企業がまだまだ多くあります。

最近では、ローコード・ノーコードツールや自動テストツールなどが多数商品化され、アジャイル開発をしやすくなっています。それにもかかわらず、システム開発ベンダーにノウハウがないという理由で、これらのツールを使ってウォーターフォール開発をしているプロジェクトも見かけます。このように100％の品質でないと受け入れられない文化と、システム構築ベンダーのノウハウの欠如も、ソフトウエアをかたくしている要因の一つです。

③契約形態

システム開発を依頼するシステム構築ベンダーとの契約形態も、ソフトウエアをかたくしている要因の一つです。

システム開発の契約形態の一つに、完成した仕事の結果に対して報酬を払うという請負契約があります。請負契約の場合、仕事を請け負ったベンダーは完成物に責任を負わなければいけません。そのため、ベンダー側もきっちり要求事項を文書化し、仕事の依頼内容をドキュメント化しながら仕事を進めます。システム開発自体は短期間に終えられても、要求事項やシステム仕様に関するドキュメント化に時間がかかるため、結果としてソフトウエアの改修に時間がかかってしまうわけです。

ＤＸではビジネスプロセスを新しく構築していくため、継続して繰り返しシステムを改修する必要があります。今日では、さまざまな場面に合わせて利用できるアジャイル開発方法や、ローコード・ノーコードでソフトウエアを開発できるツールの多様化も進んでいます。

これらのツールやテクニックをうまく活用して、短期間で継続的にカイゼンを繰り返し、ソフトウエアを〝やわらかく〟維持することが、ＤＸプロジェクトを成功させるポイントの一つです。

アプリが頻繁にアップデートされるわけ

最近のアプリケーションやOS、ブラウザなどは、定期的にソフトウエアのアップデートが行われています。この頻繁なアップデートのおかげで、セキュリティが強化されたり、機能が拡張されたり、不具合が改修されて、ソフトウエアを快適に継続して利用することができるわけです。

今ではアップデートは手軽な作業になりましたが、ひと昔まえのソフトウエアは、新しいバージョンが出るたびに自分たちでソフトウエアをアップデートする必要がありました。何十枚ものフロッピーディスクを使って、苦労してWindowsのアップデートやアップグレードをした経験がある人も少なくないのではないでしょうか。

実は、今では自然と受け入れられているこの小さな変化が、ＤＸ時代のアプリケーションの最大の特徴だといえます。

ＤＸは新しいビジネスモデルを構築し、業務に付加価値を生み出していく取り組みです。新しいビジネスモデルは一朝一夕にはできません。常にトライ＆エラーでカイゼンを継続していく必要があります。つまり、手軽にアップデートやアップグレードすることが可能なアプリケーションは、ＤＸの取り組みと非常に相性が良いのです。

アップデートやアップグレード可能なアプリケーションを実現するために、必要となる三つの要素を解説していきたいと思います。

①テクノロジー

まずはテクノロジー面から始めましょう。

アップグレードを可能にするアプリケーションの実現方法は多々ありますが、

どのアプリケーションでも次の二つのソフトウエアデザインがアーキテクチャとして採用されています。

一つ目が、プログラムとデータベースの分離です。

通常データベースにアクセスするプログラムを書く際は、プログラムのロジックからＳＱＬ*（Structured Query Language）文を発行し、データベースからデータを取得し、プログラムを経由して結果を画面に表示します。これだと、データベースのテーブルやプログラムのロジックに変更があった場合、プログラムとデータベースの両方を修正する必要が出てしまいます。

一方、プログラムとデータベースが分離されているアプリケーションは、多くの場合Ｏ／Ｒマッピング（Object/RDB mapping）やそれに類似した手法で、プログラムやデータベースに対する変更の影響を最小限にとどめています。

Ｏ／Ｒマッピングとは、データを管理するオブジェクトとＲＤＢ（Relational Database）間を、あらかじめ定義された文法でマッピングを行い、ＲＤＢ内のデータにアクセスする手法です。

* データベース管理システムにおいて、データの操作や定義を行うためのデータベース言語

Aras Innovatorの場合、オブジェクトとしてアイテムタイプと呼ばれるビジネスアイテムを用意しています。アイテムタイプはパーツやドキュメントおよびCADなどの設計データを管理するオブジェクトとして使われます。

アイテムタイプが取り寄せたいデータは、アイテムタイプからO／Rマッパーを経由し、都度AML（Aras Markup Language）と呼ばれるXML（Extensible Markup Language）を自動生成してRDBにアクセスします。これによりプログラムとデータベース間の関係を疎結合にしてアプリケーションの柔軟性を確保しています。

また、Aras Innovatorは小さなプログラムの塊で構築されるマイクロサービスアーキテクチャを採用しています。機能ごとにつくられた小さなプログラムをサービスと呼び、各サービスはそれぞれ独立したプログラムとして動作します。さらに、サービス間は決められたプロトコルを通して連携して動かすこともできます。

このため、一部のサービス（小さなプログラムの塊）を変更しても、ほかのサービスへの影響を最小限にすることが可能です。これがAras Innovatorがカスタマイズされていても柔軟にシステムのアップグレードができる理由です。

②販売方式

アップグレード可能なアプリケーションを提供していくためには、販売方式の変更も必要です。

アプリケーションの販売方式には、大きく「永久ライセンス方式」と「サブスクリプション方式」があります。永久ライセンスはアプリケーションを利用する権利を買うものです。バージョンやオプションは固定され、異なるバージョンやオプションの機能を使いたい場合は別途購入する必要があります。

永久ライセンスで販売されているアプリケーションの場合、アップグレードをするたびに、ユーザーに購入を迫ることになります。そのため、ユーザーはアップグレードをためらい、アプリケーションやシステムを塩漬けにする傾向があります。

サブスクリプションは、ソフトウエアの利用権を販売するのではなく、ソフトウエアに関わるサービスを販売するモデルです。一般的には、バージョンやオプションの利用にある程度の範囲が設けられ、その範囲内であれば追加費用なしで利用できます。

そのため、バージョンを新しくする場合や、機能を追加するようなアップグレードの場合に、サブスクリプション契約の範囲内であれば、追加の費用が発生せずにすむわけです。

サブスクリプションはアップグレードもサービスの一つとして提供できるビジネスモデルなので、常に進化が求められるＤＸ時代と相性が良いといえます（図５）。

クラウド経由で提供されるアプリケーションがアップグレードを頻繁に行っているのも、多くのクラウドサービスがサブスクリプション形式で販売されているからです。クラウドで提供されているアプリケーションでも、ライセンス販売されているものはアップグレードに別途費用がかかるため、頻繁にアップグレードすることを躊躇しがちです。

図5）2つの販売方式

永久ライセンス方式	サブスクリプション方式
モノ	サービス
オプション	インクルーシブ
1対多	1対1
関係が切れる	関係を継続
所有	利用

アップグレードできるアプリケーションを採用する際には、クラウドやオンプレミス*に関係なく、それに適した契約形態を採用する必要があります。

③ビジネスモデル

アップグレード可能なアプリケーションを提供する際には、アプリケーション、またはシステムを販売するビジネスモデルも考えていかなければなりません。ソフトウエアを販売してビジネスを行うのか、ソフトウエアをサービスの一環として提供するビジネスを行うのか、ソフトウエアベンダーは、自社のビジネスの進め方を正しく見極めていく必要があります。

アプリケーションの販売をビジネスの軸とする場合、たとえアップグレードが可能なアプリケーショ

＊自社で保有、運用するシステムの利用形態

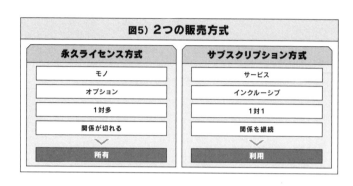

ンでも、企業活動の中心がソフトウエアの販売になります。そのため、企業活動はより多くのアプリケーションを購入してもらえる顧客を探します。企業のＫＧＩ（Key Goal Indicator：重要目標達成指標）も、新規に購入してもらえる顧客に重点を置いているため、おのずと既存顧客のケアが消極的になりがちです。

一方、ソフトウエアをサービスの一環として提供している企業の場合、すでに自社のアプリケーションやシステムを購入している既存の顧客に継続してサービスを提供することが企業活動の中心がとなります。そのため、おのずとユーザー企業へのサービスが手厚くなるわけです。

アップグレードなどのサービスも頻繁に行われ、顧客は常に最新のセキュリティに対応したアプリケーションが利用できます。必要な機能は、自分のタイミングで自由に追加して業務の改善につなげることができます。結果として、ソフトウエアベンダーのＫＧＩは、顧客により良いエクスペリエンスを提供することになります。

新しいビジネスモデルを構築していくＤＸは、実際に取り組みを始めてみると当初の想定とはまったく別の方向に向かうことが多々あります。プロジェクトの進め方もスモールスタート＆フェイルファストでトライ＆エラーを繰り返し、常にカイゼンしていかなければなりません。

ソフトウエアをよりやわらかくするアップグレードなどの取り組みは、持続的変革が必要なＤＸ時代の取り組みとして必須の要件となりつつあります。

なぜPLMシステムでプロダクトのライフサイクル管理ができないのか

PLMシステムの歴史は、PDMシステムの発展型として進化してきました。PDMシステムは、3次元CADデータを統制のとれた形で管理し、設計情報を共有したり、図面の承認プロセスを効率的に行ったりするためのシステムとしてつくられました。

3次元CADでは、部品とアセンブリを個別にモデリングできるため、一つの製品設計を複数の担当者で分割しながら図面を作成することができます。自分が作成した成果物を、ほかの部位を設計している設計者にも共有し、3次元CAD

を使ってコンカレントエンジニアリング*を実現するための仕組みとしてPDMシステムが開発されました。

しかし、PDMシステムにCADのデータを保存して設計作業を進めてみると、製品設計にはCADで作成された図面情報以外に、図面に記載した部品の情報も必要なことにすぐに気がつきます。そこで部品情報を管理する機能が追加されました。

部品情報や、CADをはじめとする図面情報は改定が頻繁に発生します。そこで、設計変更の機能が追加され、設計変更に必要な承認プロセス効率化のためにワークフロー機能が整備されていきます。承認された設計情報をほかの部門の関係者と共有するためには、製品開発プロジェクトを管理する仕組みが必要です。そうして、日程と作業タスクおよびその成果物を管理するための仕組みとしてプロジェクト管理機能などの機能が順次拡充されてきたのです。

設計作業は、前工程のアウトプットを受けて自工程で作業を行い、その成果物

＊ 複数業務を同時進行させることで効率化や期間短縮を図る手法

が次の後工程に引き渡されていきます。いったんPDMシステムの中にデータがたまり始めると、そこにあるデータをほかの部門の人も活用して自分たちの仕事に役立てたいと考えます。

PDMシステムで管理されているデータは、さまざまな部門で活用できるように機能が拡張され、成長してきました。品質管理部門では、不具合の分析結果を図面データと関連付けて管理したり、解析部門では設計が作成した3次元モデルを使って解析作業を行ったり、生産技術部門では設計部品表をもとに工程設計や生産部品表を作成したりしました。

最近では、MBSE*(Model Based Systems Engineering)の普及に合わせて、図面を設計する前工程の領域まで機能が広がり、PLMシステムは文字通りプロダクトのライフサイクルにわたる設計情報をマネジメントできるシステムとして成長してきています。

このように、PLMシステムはプロダクトのライフサイクルをカバーする必要がありますが、システムの機能を拡張していくことは容易ではありません。そこ

写真は 2022 年に開催された「ACE 2022 Japan」の様子。このセッションの内容を要約した PDF をプレゼントいたします。

ステージ上で対談する経済産業省 和泉憲明氏（右）とアラスジャパン合同会社 社長 久次昌彦（左）

ACE Japan とは?

年に一度の Aras 世界最大規模のイベント

ユーザー様やパートナー様、Aras 製品の導入をご検討中のお客様、業界の専門家、Aras 社員等、Aras に関わる全ての人、コミュニティが一堂に会するイベントです。ともに学び、つながり、楽しむための年に一度の祭典です。著名人による講演やお客様の成功事例、業界の最新情報をご覧いただけます。

アラスジャパン合同会社

aras 〒100-0006 東京都千代田区有楽町1-1-2 東京ミッドタウン日比谷 日比谷三井タワー30階
www.aras.com/ja-jp/

で、ＰＬＭベンダーの多くは、自社製品のアピールを強化するために、ＰＬＭシステムに必要とするさまざまな個別機能を持つアプリケーション会社を買収し、機能を拡大してきました。

その結果、製品ブランドは同じ名称なのに、機能間のインテグレーションがされず、データが連携できないシステムが登場し、ＰＬＭシステム構築の際に、複数のアプリケーションサーバーを立てることが要求されました。アプリケーションサーバーがたくさんあると、導入だけでなく、バックアップやメンテナンスなど、日々の運用も煩雑です。

また、もともとは別の会社で開発されていたシステムなので、それぞれのシステムの開発言語が異なることもあります。こうなると、カスタマイズを行う際に、複数の言語を習得する必要が出てきます。

このように、システムが分断されていると、プロダクトのライフサイクルにまたがる情報を一元管理することができません。

ＰＬＭを実現してモノづくりのスループットを向上させるためには、プロダク

＊モデルをベースにエンジニアが仕事を進めるアプローチおよび手段

トのライフサイクルにわたって情報がつながることが求められます。設計が作成した3次元データを解析部門に渡して解析したり、設計部門が作成した設計部品表をベースに生産部品表を作成したり、製品情報をベースに治工具の設計を行ったり、不具合が発生した際には必要な設計情報を関係部門と共有したり、機能の改善や設計変更が発生すれば関連する設計情報を特定して改定したり……。

このように関連する設計情報をつなげて管理するデジタルスレッドの仕組みは、システムのアーキテクチャが統一されていないと、実現することは難しいといえます。

DXを推進するキーテクノロジーの一つとして、IoTでつながる製品から発信された情報の有効活用は大きなテーマです。デジタルスレッドを構築できないPLMシステムで製品情報が管理されていると、DXの妨げになることもあります。

DXの取り組みはトライ&エラーの繰り返しです。不具合や改善点があればすぐさま製品の設計を見直して迅速に対応していく必要があります。このとき、プロダクトのライフサイクルにまたがるデジタルスレッドが威力を発揮します。

限定的なデジタルスレッドしか構築できないPLMシステムは、サイロ化されたシステムを増やすだけです。PLMシステムを導入してデジタルエンジニアリングを加速するには、PLMシステムの機能や実績だけの評価でなく、柔軟にデジタルスレッドが構築できるかという視点も求められます。

データの長期保存問題

設計プロセスのデジタル化に使われるシステムは、データを作成する「オーサリングソフト」と、オーサリングソフトが作成したデータを管理する「データマネジメントシステム」の大きく二種類に分かれます。

オーサリングソフトの役割は、「3次元データが作成できる」「シミュレーションができる」「イラストが入った作業指示書が作成できる」などです。ツールとしてどのような機能があり、何が実現できるのかがソフトウエアとしての価値を決めます。

オーサリングソフトで作成されたデータは、モノづくりに関わるさまざまな役割の人と共有する必要があり、データを共有するための共通基盤としてデータマネジメントシステムが必要です。データマネジメントシステムには、正しい人が正確に情報にアクセスできる認証や権限の仕組み、また情報を簡単に探し出せる仕組みが求められます。

データマネジメントシステムは、機能よりも「データ（コンテンツ）をいかに効率的に管理できるのか」が価値を決めます。

会計情報は、会社法で帳簿書類等の保存期間を10年と定めています。生産管理システムの場合、前回の所要量計算の結果と最新の計算結果の差分が計算できれば良いので、前後3カ月分を対象データとして半年間のデータが管理できれば十分です。長期間のデータを保存し、生産計画の計算に活用しても、市況は変わるため、あまり意味がありません。

一方で製品の寿命は、調理器で5〜6年、テレビや洗濯機が7〜8年、自動車で約10年です。産業機械は約12年、飛行機にいたっては20〜25年といわれています。製品データを管理するＰＬＭシステムでは、管理対象となる製品ごとの寿命に応じて情報を管理することが求められます。

従来は図面や設計図書は紙で管理されていたため、データの長期保存の問題はあまり顕在化しませんでした。しかし、設計データがデジタル化され、ＰＬＭシステムで管理するようになると、「デジタル情報をいかに長期間管理することができるのか」を考慮する必要性が出てきたわけです。

コンピュータのハードウエアは数年で寿命がきます。また、最近はソフトウエアが頻繁に更新されるため、ソフトウエアの保証期間であるＥＯＬ（End of Life）が短くなる傾向もあります。

ＰＬＭシステムは導入して稼働してしまえば終わりではありません。製品のライフサイクルに応じて長期間データを管理していく必要があります。そのためには、ハードウエアの交換やソフトウエアのアップデートが不可欠です。

当然ですが、ＯＳやデータベースがアップデートされてＰＬＭシステムが動かなくなる、という事態は避けなければなりません。そのため、ＰＬＭシステムは経済的なコストでアップデートまたはアップグレードできることが求められます。

CIMdata社*の調査によると、ＰＬＭシステムは平均8年程度使われています。

寿命がきたＰＬＭシステムの対応は大きく「システムをアップグレードする」か「新たにＰＬＭシステムを導入するか」の二択です。

ＰＬＭシステムのアップグレードは新たにＰＬＭシステムを導入するのと同じぐらいの費用がかかることもあり、多くの場合、最新のＰＬＭシステムを使ってシステムを再構築するという選択がされます。

ここで問題なのが、旧ＰＬＭシステムで管理されていたデータが１００％新ＰＬＭシステムに移行できるのかという問題です。ＰＬＭシステムは、管理されているコンテンツとしての設計情報に意味があります。せっかく数年間蓄積したデータもシステムの入れ替えにより使えなくなることは避けるべきです。

しかしデータの移行は簡単ではありません。データの重複や欠落の補正、名称の名寄せや桁数問題などをクリアし、データを正規化したあと、新しいＰＬＭシステムにデータを移行する必要があります。

データの正規化をあきらめたプロジェクトでは、データの移行対象を「今、設計に取り組んでいる製品だけに絞る」「新規に設計を始める製品からデータを投

＊ ＰＬＭ業界を中心に、市場調査、コンサルティング、教育等を行っている米国に本社を置く調査会社

入していく」といった方針が取られ、すべてのデータが移行されないことも多々あります。

ＰＬＭシステムは、システムとしての機能以上に、管理されているコンテンツである設計データが重要で、そこに付加価値があります。

ＰＬＭシステムのアップグレードに多額の費用がかかる、アップグレードが柔軟にできないといったシステムの制約も、デジタルプラットフォーム構築の阻害要因の一つとして挙げられます。

第三章

「オープン」であるという文化

ソフトウエアの民主化

アラス社の製品Aras Innovatorはオープンアーキテクチャで提供され、かつ20年以上前からPLMシステムにローコードの開発環境を組み込んだ形で提供しています。「ソフトウエアの民主化」を説明するに際し、Aras Innovatorがなぜこのような方針で販売されているのかについて紹介します。

企業がソフトウエアを導入するときは、複数の採用候補となるソフトウエアを比較して検討します。その際、システムを販売するベンダーは、製品情報に関わるプレゼンテーションを数回行い、ユーザー企業はそのプレゼンテーションを参考に、採用するソフトウエアの選定を行います。ベンダーのプレゼンテーションは良く作り込まれていて、自社の製品がいかに役に立つものであるかを説明します。

アラス社の創業者であるピーター・シュローラ（Peter Schroer）は、以前は、ソフトウエアを購入するユーザー企業の立場でもありました。だからこそ、「高額なPLMシステム導入を決断するには、ユーザー側が持つ情報が少ない」と感じ、「なぜ、ソフトウエアは試しに使うこともできずに、先にライセンスを買わされるのだろう？」という疑問を持っていました。

人生における大きな買い物といえるクルマや不動産は、試乗して実際に乗り心地や性能を体験できたり、現地に足を運んでモデルハウスを見て広さやデザインを体感したりして、それから購入に踏み切ります。それにくらべて、ソフトウエアの購入は事前に体験できる場面がありません。

そこで、ピーター・シュローラは「ソフトウエアをオープンで提供する」ことを考えました。PLMシステムのアーキテクチャをオープンにし、ソースコードやデータモデルなど、ソフトウエアに関する情報を開示することにしたのです。

これにより、PLMシステムを検討するユーザー企業が、ソフトウエアのアーキテクチャを事前に確認し、体験できるようになりました。

さらに、ホームページからAras Innovatorを自由にダウンロードして、購入前でも評価できるようにしました。ベンダーによる製品のプレゼンテーションだけでなく、ユーザーが実際にＰＬＭシステムを触って操作できるようにすることで、自社に合ったシステムかどうかを判断しやすくしたのです。

これは、当時のＰＬＭ業界の慣習とは真逆の行動でした。それまでのＰＬＭ業界は、購入前はできるだけ製品であるＰＬＭシステムを見せないようにし、ドキュメントや事前に作成された動画を用いてシステムの機能を説明していました。システムを販売するベンダーとしては「実際に動くデモをしているときにシステムが止まったらどうしよう」「事前に製品を提供して競合と比較され、商談が不利になることを避けたい」といった心理が働き、実際の製品を見せることをできるだけ避けて商談を進めたいと考えていました。

たとえるなら絶対王政時代の君主のように、自分の立場（自社の製品）を神格化し、ブランド力を高めるというやり方が一般的だったわけです。

ピーター・シュローラの決断はユーザー企業に好評で、「事前に十分製品を評価できたので、実際にプロジェクトを開始した際も、大きなギャップを感じることなく進めることができた」「プレゼンテーションだけではわからなかったＰＬＭシステムも、実際に操作できたことで要望事項を具体的にまとめることができた」といったフィードバックが多数ありました。

それまでの、絶対王政的なＰＬＭ業界の慣習に対して、オープンな戦略を用いたことを私たちは「ソフトウエアの民主化」と位置付けて、現在も推進しています。

また、ソフトウエアの民主化を成し遂げるには、対応できるソフトウエアの開発だけでなく、ビジネスモデルの変革も必要でした。

ピーター・シュローラがかつて回路基板のエンジニアだったとき、ＰＤＭと呼ばれるＣＡＤデータを共有するシステムを導入する機会があったそうです。

ＩＴ部門からは、「仕事の効率化を図るために新しいシステムを構築しました」

とアナウンスがあり、PDMシステムがリリースされました。しかし、エンジニアの立場から見て、うまく表現できないけれど、「自分たちが求めているものじゃない」とそのときは感じたそうです。

この経験を経て、ピーター・シュローラはいくつかのキャリアチェンジの末、あるPLMベンダーで働くことになりました。そのベンダーのPLMシステムは、二十数年前からすでにローコードの開発環境を機能として組み込んだアーキテクチャを実現していたのです。エンドユーザー経験のあるピーター・シュローラは、すぐにローコードのメリットを理解したそうです。

このときに、新しいPLMシステムの構想が固まりました。

「ローコードで開発できるPLMシステムであれば、設計プロセスの変更にも柔軟に対応できて、設計の仕事に合わせた情報基盤を実現することができる」と考えたピーター・シュローラは、アラス社を創業し、ローコードでフレキシブルにカスタマイズが可能な、新しいPLMシステムの開発に着手します。

「ソフトウエアを、『使う側の人たちが必要とする機能を、使う側の人たちが中心となってカスタマイズが行え、使う側の人たちがシステムとして構築できる』ようにすること。それを、PLMの新しい製品やビジネスモデルとして実現できれば、ソフトウエアの民主化は達成できる」

その後、ビジネスモデルだけでなく、ソフトウエアのアーキテクチャや販売方法についても試行錯誤をしながら、2007年に現在の形に到達しました。

PLMシステムのアーキテクチャをオープンにするとともに、自由にダウンロードして誰でもソフトウエアを評価できるようにしたという変革は、既存のPLM業界に対しソフトウエアの民主化を推し進める野心的な取り組みとして取り上げられ、メディアが名付けた「The Punks From Andover（アンドーバー出身の旋風を巻き起こす異端児）」は、アラス社の精神と社風を表す言葉として今でも使われています。

絶対王政の君主的なＩＴ業界における民主化革命

ここまでは、ソフトウエアを買う段階における民主化の話でした。しかし実は、ソフトウエアベンダーの絶対王政的なビジネスモデルは、購入後にも存在しています。

「システムの構築は他社ではできません」

「ライセンスを購入したユーザー企業以外がカスタマイズすることはできません」

「他システムとのインターフェース開発はライセンス違反になる違法行為です」

などのように、ベンダーによってさまざまな制限がかけられてしまうのはよくあることです。これによって、システム構築は自由に進めることができなくなってしまいます。

導入後の保守・運用についても、

「仕様やプログラムは弊社が理解しているため、保守やメンテナンス時の改修や機能拡張は弊社にしかできません。弊社以外がカスタマイズすると機能が保証できません」

「保守費用を払わないと、トラブルが起きても対応できません」

「一度保守契約を解約したあと、再度保守契約をする場合、解約していた期間も遡及して請求します」

などと言われることもあります。

「不具合の対応は行います」と言いつつも、何年も対応してくれなかったり、ソフトウエアのファイルフォーマットに互換性がなかったりすることもしばしばあります。

こういった「ベンダーロックイン」は、他社への乗り換えを阻止するために長年ソフトウエアの業界に根づいていました。

このベンダーロックインからユーザーが解放され、自分たちが主導権を持って開発できるようにするのが、購入後の民主化だと考えています。そのためには、オープン化やローコードを推し進める必要があるのです。

ローコードでかつオープンアーキテクチャなシステムであればこそ、正式購入前に評価ができますし、社内業務に精通している人が主体で開発できます。さらに、ユーザー自身が不具合の場所を発見し改善することもできるのです。

オープンアーキテクチャであれば、さまざまなシステムと柔軟に連携することも可能です。ベンダーが用意していない他システムとの連携機能も、自社で簡単に開発することができるため、新機能を追加する際にも、いちいちベンダーに依頼する必要がありません。

ソフトウエアが民主化されれば、購入後でも、ベンダーに頼らずに、早く安く自社の業務改革にソフトウエアを適合できるようにできるはずです。

「オープンであること」の強み

そもそも、ベンダーがユーザーよりも力を持つのは、ソフトウエアに対する情報量の差が原因だといえます。

「専門家が言うのだからそういうものなんだ」「自分たちの知識ではできない」と思い込んでしまい、ベンダー任せにした結果、メリットが少ないと感じる部分も受け入れなければならなくなるのです。

この情報格差を埋めるキーワードとなるのが「オープン」です。

以前は、パソコンにも同じような状況がありました。現在のパソコンはインターフェースが優れているので、誰でも初見であつかえますが、昔のパソコンは専門知識がないと操作することができず、わからないことや不具合はカスタマーサポートに問い合わせる必要がありました。

現在では、簡単な操作方法やちょっとした不具合であればインターネットで検索すれば大体のことは解決し、カスタマーサポートに頼る必要もありません。これは、情報が公開されオープンになったことで、作り手と使い手の情報格差が縮まってきた例だといえるでしょう。


エンジニアリングソフト業界で、最も情報をクローズし、ロックインを進めているのは、ＣＡＤソフトウエアの分野です。他社のＣＡＤに乗り換えられないようにデータフォーマットを秘密にしたり、肝になるところを非公開にしたりして、データを流通できないようにしています。

ユーザーが求めているのは、「図面情報をいかにモノづくりの隅々まで流通させていくか」です。ここに、ベンダーとユーザーの相反があるわけです。

ベンダーはあくまでも自社にユーザーをとどまらせたいので、できるだけ情報を開示しない。一方、ユーザーは設計情報をできるだけ多くの人と共有することで効率を上げたい。そのためには、ほしい情報をさまざまなフォーマットで、さまざまなツールで見られるようにしたいのです。

このような「オープン」と「クローズ」の対立はあちこちで起こっています。

１９８０年代後半に、NetWareというネットワークＯＳが登場し、多くの企業にＬＡＮを普及させました。ＬＡＮの普及によってプリンターや周辺機器が接続され、さらにコンピュータ同士をネットワークでつなげることが可能となり、クライアント・サーバー時代が到来しました。

NetWareは非常に良くできたネットワークＯＳでしたが、接続するプロトコルは独自仕様のものを使っていました。そのため、WindowsやＵＮＩＸはプロトコルがオープンであったTCP/IPを採用し、ＯＳにネットワーク機能を組み込み標準機能として提供し始めました。さらに、ＵＮＩＸ系のＯＳがオープンソースとして提供されたことで、TCP/IPベースのプログラムを誰でも作成することが可能になり、インターネットの爆発的な普及にともなってNetWareは姿を消したのです。

ＩＥ（Internet Explorer）からChromeに、一太郎からWordに、IPX/SPXがTCP/

IPに移り変わったのも、すべてオープン化がターニングポイントになっています。

そもそも、ソフトウエア業界はオープン化とクローズ化を繰り返して成長してきました。最初に登場するソフトウエアは、常にクローズ化された状態で登場します。しかしある一定の規模に到達すると、ソフトウエアはオープン化することで飛躍的に普及し、利便性が一気に向上します。

オープン化すると、ユーザーは多くの便益を受けることができます。まず、自分の思い通りにソフトウエアをカスタマイズして、パーソナライズした形で利用することができます。

仕事の進め方は人それぞれです。ソフトウエアのカスタマイズの仕方も、その人の仕事の進め方に応じて変わってきます。このようなカスタマイズの情報は、公開して共有されることで、ノウハウに付加価値が生まれます。学生時代、友達のノートの書き方や単語帳の使い方を見て参考にした人も多いのではないでしょうか。それと同じように、ほかの人のカスタマイズの仕方や、アイデア、考え方などを知ることで、効率化のヒントになることがあるのです。

アラス社では、Aras Innovatorをオープンアーキテクチャで提供するとともに、Aras Labという活動を通して、ほかの人が考えたカスタマイズの仕方やアイデアを公開しています。

Aras Labでは、最新のテクノロジーの取り込みを試験的に行ったり、業務に必要なサンプルやテンプレートを作成し公開したりするだけでなく、ユーザー企業やパートナー企業が実際のプロジェクトで開発したカスタマイズ内容を一般化して公開しています。

情報をオープンにすることによって、当初は私たちが想定していなかった企業や業界もAras Innovatorのユーザーとなり、結果として市場が拡大しました。PLMシステムは主に組立製造業で利用されてきましたが、現在では、化学業界、建築業界、アパレル業界、日用雑貨業界やプラントエンジニアリング業界、鉄道、港湾設備など、多種多様な業界に広まっています。

情報の囲い込みや、ベンダーロックイン戦略は業界の進歩を妨げます。The Punksの登場により情報がオープンになり、イノベーションが加速されるという流れは、過去のＩＴ業界におけるさまざまな歴史からも学ぶことができます。

ローコードツールを使って何を目指すべきか？

ローコードツールとは、プログラミングが得意でない人でも簡単にソフトウエアを開発することができる開発手法のことです。

変化が激しい現代、スピーディかつ、柔軟にソフトウエアの開発を進めるために、世界中で急速に広まっています。

よく、「ローコードツールとアジャイル開発を組み合わせれば、スモールスタートで簡単にシステムが開発できる」といったうたい文句が使われますが、これには注意が必要です。

なぜなら、ローコードツールでプログラミングはできますが、システムはできないからです。

英語には、「If all you have is a hammer, Everything looks like a nail」ということわざがあります。日本語にすると「ハンマーしか持っていなければ、すべてが釘に見える」と訳せますが、これは「叩くしか方法が思いつかない」といったことを指し、固定概念や成功体験にとらわれてしまう事象のことをいいます。

システムをつくるために必要なのは、システムシンキングです。システムシンキングとは、まず物事の全体像を把握し、システム全体を構成しているさまざまな要素の関係を把握したうえで、最適な解決策を選択するアプローチです。システムシンキングがないままプログラムを進めても、スモールスタート・スモールシステムで終わってしまいます。

また、ローコードツールを用いてシステムを開発する際に採用されるのはアジャイル開発手法ですが、これは競争力を上げるために欠かすことができない開発方法論であり、その必要性は多くの人に理解されていると思います。

ところが先述したように、日本人はアジャイル開発に心理的な抵抗があるようです。

アジャイル開発では、短期間のサイクルをまわしながら完成度を高めていくため、多少の不具合が出ることを許容しながらシステムの開発を進めます。そのため、一部動かない部分があってもシステムはリリースされ、システムを利用しながら修正していくというアプローチをとります。

日本人の気質としては、これがどうしてもスッキリしないのです。なぜなら、納品物の品質はパーフェクトでありたいという気持ちがあるからです。

ユーザー側には、「システム開発を発注しているからには、不具合のない状態で納品してもらわないと、あとで自分たちの仕事が増えてしまう」という心理があります。したがって、提供側はユーザーとの齟齬をなくすため、仕事をきっちり進めようと、ドキュメント化に時間を費やしてしまいます。すると、せっかく新しいツールや方法論を採用しても、結局は硬直したシステム開発プロセスになってしまいがちです。

ローコードツールを使った開発の考え方は、これとは逆になります。ローコード開発環境ならユーザー自身が改変できるので、仕様が不明瞭な部分や、定義していない部分があっても、「メインのプログラムがひと通りできていれば良し」とするのがローコードツールを使ったアプリケーション開発の考え方です。

アラス社が20年前からローコード開発環境をPLMシステムに組み込んできた理由は、ソフトウエアの民主化を支援したいとの考えからです。

PLMシステムとしての大きなフレームワークを提供し、このフレームワークを有効活用しながら現場のニーズを柔軟に取り込むためにローコードツールを使ってアジャイルにカスタマイズを行えること、さらに、ニーズに応じて最適な形でエンジニアリング環境のカイゼンを推進できるようになることが、ベンダーロックインを遠ざけて、ソフトウエアの民主化を推進すると考えています。

ちなみに、ローコードツールが普及し始めたのは、ちょうどコロナウイルスが蔓延する少しまえの２０１８年、２０１９年くらいからです。コロナ禍の中、ベンダーと自由に打ち合わせることができなくなり、自前でプログラムの開発を行う必要が出てきたため一気に広がったという背景もあるようです。

システムシンキングでサービスを考える

ローコードツールは簡単にシステムを構築できるので、ちょこちょこっとつくって動かすことができます。ただし、全体を見ていないプログラムの固まりをたくさんつくっても、最終的には動かないシステムになってしまうので要注意です。

ローコードツールを使ったシステム開発は、特殊な技術が不要です。だからこそ、システムシンキングで全体のアーキテクチャを把握し、最終的なサービスをイメージしながら設計する必要があります。

何か事象や問題が起きているときは、その部分だけに焦点を当てて場当たり的に考えるのではなく、根本的な原因を解決しなければなりません。事象や問題はすべてつながっています。目に見えている部分だけではなく、ものごとを俯瞰して、システムとしてのアーキテクチャをデザインできるスキルがＤＸの世界で求められています。

日本人は、システムと聞くと、どうしてもソフトウエアを思い浮かべますが、ソフトウエアを使ったシステムだけがシステムではありません。もっと大きな意味、仕組み全体を指しているのがシステムです。

英語では、決算の仕組みや、電車に乗るための仕組みなどもシステムと呼ばれていますが、このようなとらえ方をすると、システムという言葉の理解はしっくりくるのではないでしょうか。

かつては、電車に乗る際には、切符を買う・駅員さんが改札で切符にハサミを入れる・駅から出るときに切符を渡す、という流れがありました。これが当時の電車に乗るためのシステムです。

このシステムでは、駅員さんの見落としやキセル乗車の防止などの対策は簡単ではありませんでした。

しかし、現在は電子マネーが存在しています。電子マネーの仕組みはスマホにも組み込まれているため今日では多くの人が利用しています。電車の利用にも電子マネーが使われることで、キセル乗車などが起きにくい仕組みが構築できます。従来は人が担っていた労力の一部は機械に代行され、新しい乗車システムが確立し、駅員さんの業務内容も変わっていきました。

何気なく利用している電子マネーを使った乗車システムも、システムシンキングで俯瞰して全体のシステムをとらえていないと、サイロ化されたシステムが乱立しうまく機能しないシステムになってしまうということは容易に想像できるのではないでしょうか。

経済産業省のＤＸレポートをまとめた経済産業省 商務情報政策局・情報経済課アーキテクチャ戦略企画室長である和泉憲明氏は、ＤＸの取り組み方について、鍼灸クリニックを例にして話しています。

鍼灸クリニックを担当しているコンサルタントが「ＤＸを取り入れてロボットを導入し、施術者の人数を減らしましょう」と提案します。しかし鍼灸クリニックの経営者は「ロボットに鍼を打たれるのは、お客様が不安に思うのではないか」と回答します。

「では、非常停止ボタンをつけて、そのうえ、非常時に対応できる人を配置しましょう」とコンサルタントは提案します。経営者が「お灸をすえるとき、ロボットが火を扱うのは危なくはないか」と質問すると、「では消火装置をつけましょう」という提案が出てきました。

これは、場当たり的な対応をするＤＸプロジェクトの極端な例ですが、これに近いＤＸプロジェクトは多いのではないでしょうか。本来は人の労力を削減するためのDX対策が、ロボットを管理するために人を増員するという、本末転倒の状況を生んでいるわけです。

鍼灸クリニックの場合は、「足湯やマッサージ器などを用いて、量をさばく作業を機械化し、最後に専門の職人が仕上げとしてキッチリ整えることで、職人の数を減らしつつ施術する人数を増やす」というのが、DXとしての一つの回答だと和泉氏は説明していました。

DXのせいで人も作業量も増えてしまった、といった事態にならないよう、業務とエンドユーザーの動き全体を俯瞰したシステムシンキングが必要なのです。

ノウハウを公開することで情報は集まる

2006年のことです。当時コンサルタントをしていた私のもとに、「PLMについて理解できる辞書のような書籍をつくりたい」というオファーがありました。そのオファーを受けて『図解でわかるPLMシステムの構築と導入』（日本実業出版社）という本を出版することになりましたが、当時はこれを執筆するかどうか、非常に悩みました。

理由は、自分が持つコンサルタントとしての経験やノウハウを公開しなければいけないからです。自分が持つ知識、経験、ノウハウは、コンサルタントとしての食い扶持であって、誰でもわかるように公開してしまうと、自分の商売が成り立たなくなってしまう心配がありました。

ところが、いざ本が出版されると、私が想定していたこととは逆のことが起こり始めました。

まず、私がPLMについての知識を持っていることが多くの人に知られることになり、たくさんの講演依頼や、新たな執筆依頼が舞い込んできました。

講演を依頼された場合は、できるだけほかの講演者のお話も聞かせていただくことを心がけているので、自分が知らなかった情報を収集することができました。ほかの講演者とお話しすることもあり、自分の講演に関するフィードバックや、別の視点からの意見がいただけたことも、その後のキャリアに非常に役立ちました。

PLMに限らず、さまざまな相談を受けるようになったのも本の出版がきっかけです。あるときは、生産管理システムをあつかう会社から「個別受注の製番管理の仕組みを構築しているのだが、どうしても生産計画の元になるデータがうまく集められない。データを取りまとめるためにどのようなシステムが必要かアドバイスがほしい」という相談を受けました。

そこで、私はそれまで知らなかった製番管理の仕組みを勉強し、すでに持っているPLMの知識と合わせてアドバイスをすることにしました。それまでは進んで取り組もうとは思っていなかった製番管理などの生産管理方式を学ぶ機会が持てたことで、知識を増やすことができたのです。

また、本を執筆して情報を公開したことで、逆に「こういうこともあります」「新しく○○○が始まるそうです」などといった、自分一人では取得することのできない情報やノウハウが続々と届くようになりました。


B2Bのビジネスの世界でも、同じ現象が起こるといえます。

アラス社のPLMシステムAras Innovatorは、アーキテクチャを公開し、ユーザーがソースコードを見られるようにすると共に、自由にダウンロードができるようになっているのは先述した通りです。

普通に考えれば、製品をウェブサイトから自由にダウンロードできるようにしてしまうと、せっかく商品化したＰＬＭシステムのライセンスを売ることができなくなるのではないかと心配になります。

また、アーキテクチャやソースコードまで公開してしまうと、せっかく苦労してつくったＰＬＭシステムのコピー（複製品）が登場し、自社のビジネスが立ちいかなくなるかもしれません。しかし実際には、

「試しにダウンロードして評価してみたところ、自分たちが考えているシステムに使えそうだ。ついてはコンサルティングを頼みたい」

「製品のサポートをしてほしい、サブスクリプションに加入するにはどうしたら良いか」

といった、ビジネスにつながる問い合わせが次々に舞い込んでくるようになりました。

「弊社製品とのインターフェースを自作したので、御社のソリューションとして販売してほしい」

「自社独自で構築した認証基盤だが、問題なくAras Innovatorの認証システムを

統合することができた」
　などの、想定をしていなかった利用方法にまで広がりを見せ、想像以上のスピードでビジネスを拡大することにつながりました。

　ソースコードを公開しているため、ユーザーが独自にAras Innovatorの拡張機能を開発してアラス社に活用の仕方を教えてくれることもありました。

　例を挙げると、ローコード開発環境をより使いやすく拡張するアドインエディタ*や、CAPA**といった品質管理の機能、Arasのプロジェクト管理機能をベースにしたガントチャートのドラッグ&ドロップ編集機能や、リソース管理機能およびカンバン***管理といった拡張機能などです。

　これらの機能は、アラス社のホームページにあるコミュニティサイトで公開されたり、アラス社のイベントACE (Aras Community Event) で、ショウケースという形で発表されたりしています。その結果、コミュニティサイトで公開された機能や、イベントで発表された機能に刺激されて、よりおもしろいアイデアはないかと、ユーザーやパートナーのあいだで盛り上がりを見せるようになりまし

*ソフトウエアに新しい機能を追加するエディタ
**是正・予防措置
***トヨタ自動車発祥の生産管理方式。「必要なものを、必要なときに、必要な分だけ」製造することで効率を上げ無駄な在庫を生まない方法

た。

これは、「悩みを分かち合う場所を、コミュニティプラットフォームとして提供しよう」という試みでもあります。共通の悩みを共有することで解決につなげることができれば、自社のリソースを集中させる環境が整い、コアコンピタンス部分を伸ばすことができます。つまり、「情報は出したら出したぶんだけ、自分に返ってくる」ことを、実感できる試みだと考えているのです。

ＡＣＥでは、情報を公開する文化が醸成されてきたため、多くの人が大きな視点を持ってＰＬＭのあるべき論を語り合っています。

コネクティッドな世界に必要な根本思想

「オープン」という思想は、ＤＸ時代のコネクティッドな世界を生き抜くために必要なものです。

コネクティッド、つまりＩｏＴをベースにしてモノとモノがつながり、新しいサービスが提供される〝つながった世界〟の実現は、単独の企業や単独の製品だけでは実現させることができません。

たとえば、スマートスピーカーを使ってさまざまな家電を動かすときに、当該スマートスピーカーで操作できる家電が同じメーカーの製品に限定されていては、ユーザーの満足度は向上しません。ユーザーは、自分が所有しているすべての家電が操作できることを望みます。

またコネクティッドカーはクルマだけをつなげるものではありません。より高度な自動運転を実現するために、クルマとクルマ（V2V）がつながったり、クルマと道路などのインフラ（V2I）がつながったり、クルマとヒト（V2P）がつながったりと、さまざまなつながりが求められます。

このように、自社の製品以外にも、さまざまな他社のソフトウエア、他社のモノ、他社のサービスとオープンにつながることで、コネクティッドな世界が実現するわけです。


ここで重要なことは、オープンというフィロソフィーを基軸にしてコネクティッドなシステムを考えるべきだという点です。

コネクティッドな世界では、自社の製品にこだわって囲い込みをしてしまうと、スピード感を持ってユーザーのニーズを叶えることができません。より早くビジネスを実現していくためには、さまざまな企業のサービスと協業していく必要があるのです。

たとえば、コネクティッドカーのサービスの一つに緊急通報システムがあります。緊急通報システムは、交通事故で失われる人命を減らすことを目的として、自動車事故発生時に警察や消防などに自動で通報を行うシステムです。欧州ではeCall（イーコール）、ロシアではERA GLONASS（エラ・グロナス）と呼ばれ、自動車への搭載が義務化されています。

緊急通報システムでは、エアバッグなどのセンサーが事故発生を感知し、GIS*（Geographic Information System）が事故発生の場所を特定して、車載センサーから集めた事故状況を緊急通報センターに通知します。緊急通報センターのオペレーターは、事故の状況をドライバーまたは乗員に確認し、救急センターや警察・消防などに救助の要請を行います。

このようなメーカーを超えたシステムが欧州やロシアで迅速に導入できたのは、国が主導して共通規格を整備し、システムを推進したからという面がありま す。民間主導で物事が進む日本では、スピード感を持ってこのようなシステムを導入できていません。

* 地理的な位置情報を持った空間データを総合的に管理し、
視覚的に表示し活用するをことを可能にする技術

ＧＩＳの情報、車載システム、緊急通報センターなどが共通化され、オープンに利用できるようにすることではじめて、このようなコネクティッドなサービスを迅速に立ち上げることができます。

ＤＸの時代に競争力の源泉になるのはサービスです。サービスをいかに早く立ち上げることができるのかが、ＤＸ時代を生き残るカギとなります。

オープン化はモノづくりの世界にも浸透し始めています。クルマに車載されているオーディオやカーナビを制御するＯＳ、スマートフォンに搭載されているＯＳ、スマート家電に採用されているＯＳなどは、自社で独自に開発するのではなく、AppleやGoogleのものを採用し、いち早くハイレベルなサービスをユーザーに提供して、顧客満足度を向上させています。

金融業界では、アプリケーションの機能や管理するデータを、ほかのシステムやアプリケーションから呼び出せるように「オープンＡＰＩ」と呼ばれる動きが広まってきています。オープンなＡＰＩが普及することで、さまざまなキャッシュレスサービスをいち早く立ち上げることができます。

コネクティッドな世界の実現に向けた取り組みでは、競争の源泉となるものは独自化して社内に維持しつつ、協創の基盤はオープン化して共有し、サービスを共創していくといった考え方が求められます。

オープン化しても追随者は来ない？

ソフトウエアのオープン化戦略のメリットとデメリットについて、あらためて考えてみましょう。

ソフトウエアをオープン化することの最大のデメリットは、自社で開発したプログラムやアーキテクチャがコピーされ、類似したシステムを開発され販売されてしまうことです。

巨額の投資をして苦労して開発し、やっと日の目を見た製品が、おいしいところだけコピーされて競合製品として市場に出まわり、自社の成長を妨げる障壁となってしまうのは悪夢であるとしか言いようがありません。

そのため、オープンソースで公開されているソフトウエアは、ＧＰＬやＢＳＤライセンス、ＭＩＴライセンスなど[*]、さまざまなオープンソースライセンスを定義し、利用許諾条件をまとめ、許可、禁止、要請、免責といった事項で、作者や開発者が不利益を被らないように保護しています。オープンソースライセンスを適正に実施できれば、法的には複製品の開発や派生する類似商品登場を防止することができます。

しかし、世の中すべての人が１００％法律を遵守するとは限りません。

では、アラス社ではどのようにしてこの課題を乗り越えたのでしょうか？

アラス社のＰＬＭ製品Aras Innovatorはオープンソースライセンスの一種であ

る Ms-PL（Microsoft Public License）を採用しています。名前の通り Microsoft 社が定めたオープンソースライセンスです。

ただし、オープンソースライセンスを適用しただけでは、オープン化されたシステムをビジネスにつなげることはできません。

世の中のオープンソースの多くは「オープンソースライセンスに基づき、ソースコードの改変や再配布を許可するが、もとになるシステムをベースに開発したソースコードは再度公開すること。またオープンソースシステムは無保証で、障害が発生しても作者は免責されること」をうたっています。

誰でも再配布できるオープンソースシステムの場合、再配布は基本無料で行われるため、コストがかからないことは大きなメリットです。しかし、製品の品質は無保証で、誰も責任を取らないという点は、業務で採用するシステムとしては非常に不安で、とても企業では採用できません。

アラス社では、自社のＰＬＭ製品 Aras Innovator をオープン化するに際して、クリックスルー契約という自社独自の使用許諾契約を合わせて適用することで、

＊ オープンソースで提供されるソフトウエアに対する複製・改良・再配布を定義した利用許諾

この問題を解決しました。

クリックスルー契約とは文字通り、ウェブ上で〝クリック〟して契約に〝スルー（移動）〟し、契約内容を確認し、契約内容に合意できればAras Innovatorをダウンロードして利用することを可能にする契約書です。

クリックスルー契約には一般的なオープンソースへの不安、たとえば製品の品質、不具合に関わるサポート、教育、利用に際してのコンサルティングサービス、製品の将来性に関して言及しています。

これらにまつわる付帯サービスは、すべてアラス社より提供されるサブスクリプションサービスに加入することで、Aras Innovatorの品質、サポート、将来的なロードマップなどをすべてマネージされるということがうたわれているのです。ユーザーはArasサブスクリプションサービスに加入することで、安心して自社の基幹システムとして利用できます。

しかし、「製品がサポートされることはわかったけど、システムが複製されて再販される課題は解決していないのでは？」と疑問は依然として残っています。

オープンソースライセンスやクリックスルー契約のような契約事項だけでは、意識的に不正をしようとしている人を排除することができません。

ところが現実に、Aras Innovatorが２００７年にオープン化して以降、複製品は開発されておらず、市場にも出てきていません。その理由には、大きく二つの要素があると考えています。

まず一つ目としては、ＰＬＭシステムは非常に巨大なシステムであることです。

どのようなシステムにもいえますが、新規のシステム開発は比較的簡単に実現できます。しかし、そのシステムを長期間、維持メンテナンスするのは想像以上に労力とコストがかかります。製品を開発するために必要な機能を、10年、20年と時代の先端を先取りしながら機能を拡張していくことは、誰でもできることではありません。

二つ目の理由としては、ＰＬＭというシステムの特性が挙げられます。

ＰＬＭシステムは、システムを業務に合わせていくことが求められるシステムです。たとえ同じような完成品を生産していたとしても、モノづくりのプロセスはすべての会社で異なります。また、異なることがそれぞれの企業のコンピタンスとなります。個別の企業に合わせてＰＬＭシステムをカスタマイズし、導入の効果を最大限に高めることは、ノウハウを蓄積している会社にしかできません。

さらに、ＰＬＭシステムの特性として、製品のライフサイクルに合わせて、管理されるデータを長期間保持したいという要望があります。

アラス社は、このようなＰＬＭシステムに関わるさまざまなサービスをサブスクリプションとして提供することで、オープン化のデメリットを解決してきました。

システムのソースコードやアーキテクチャをオープンにするだけでは、ビジネスとしてはうまくいきません。自社が何を売り物としてビジネスを行うのかをよく考える必要があるのです。

オープン化について、一つの事象を紹介したいと思います。企業名は伏せますが、非常に成功しているＣＡＤの会社の例です。

この会社のＣＡＤは非常に使い勝手が良く、性能も良かったので、またたく間に世界中に広がりました。市場が広がると出てくるのが類似製品です。

この製品の場合、ＣＡＤデータを管理しているファイルの構造がハッキングされ、同じファイルフォーマットで出力できる多くのクローンＣＡＤが市場に登場しました。そこでこの会社はさまざまな法的手段に乗り出し、クローンＣＡＤの取り締まりを始めました。

このクローンＣＡＤの撲滅運動は、ソフトウエアを販売している企業の視点からすると正しい行いです。しかし、オープン化の視点で見ると、はたして良かったのでしょうか？

そのままクローンＣＡＤを野放しにしていた場合、最終的には、世の中の大半のＣＡＤがその会社のデータフォーマットを使うことになると想定されます。そうなると自発的な世界標準が確立できるわけで、大半のＣＡＤ間ではデータの互換性が担保されます。

各企業は自社の業務に合った機能を持ったCADを使って製品開発を行い、そのデータはさまざまな企業のあいだで流通することができる、といった夢のような状況が実現できていたのではないかと考えてしまいます。

この例で考えたいのは、世界標準が実現できるチャンスをまえに、「既存のソフトウエアの販売に固執して自社のビジネスを守るべきか」「ソフトウエアの販売に固執せず、世界標準を主導するサービスを新たなビジネスとして立ち上げるのか」という点です。

DXにおいては、既存のビジネスモデルに固執せず、新しいビジネスモデルの確立とサービスを実現することが求められます。

自社の既存のビジネスを異なる視点で見ることによって、この事例にあるような世界標準を構築するチャンスは、意外と見えてくるのではないでしょうか。

オープンの力を信じる

ソフトウエア製品をオープン化すると、誰でもソースコードを見ることができるようになり、自由に製品を入手することができるようになります。しかし、効果はそれだけではありません。ソフトウエアをオープン化することによって、企業のビジネスモデルや、企業のカルチャーが変わり、市場におけるビジネスのやり方も変わっていきます。

ソフトウエア製品をオープン化し、かつその製品の品質が開発ベンダーにて継続して保証されると、次のような変革が始まります。

（「オープン化」も「オープンソース」も、私は大きな差はないと考えていますが、オープンソースという言葉にはすでに一定の概念ができあがっているため、本書ではあえてオープンソースという言葉を使わず、オープン化という言葉を使って

いきます）

まず、製品が持つ機能を正しく把握することができます。

ソフトウエア自身はすでにオープン化されているため、実装されている機能を隠す必要がありません。そのため、さまざまな動画やドキュメントを通して製品の機能が公開されるようになります。

公開された機能の内容は、実際に製品を手に取り、機能を確認することができるため、誇張や脚色なく紹介されます。

「ドラッグ＆ドロップができる」「表形式に表示できる」といった単純な機能の紹介は、公開されているオープン版を実際に動かせばわかるため、自ずと機能の説明は、ユーザーの活用シナリオに基づいた使い方に重きを置くことになります。

ユーザーの活用シナリオにそった説明は、ユーザーの理解が得やすくなるだけではありません。製品紹介のデモを見たユーザーが、ベンダーが想定していなかった新しい活用方法を思いつくこともあります。

ベンダーが想定していなかった使い方で、ユーザー企業が自社の業務の効率化を図るシステムを実現するのは、オープン化されていないソフトウエアでは不可能です。なぜなら、ソースコードが確認できないので、アイデアを思いついても実現することができないからです。つまり、ソフトウエア製品のオープン化により、ソフトウエアベンダーはユーザーにビジネスのヒントを提供していくことが可能となります。

次に起こるのは、ソフトウエアを利用するユーザー側の変化です。

オープン化されているソフトウエア製品は無料で入手することができるため、まずは自分で試してからソフトウエアを選択することができます。

実際に自分で操作しながら機能を確認するのですから、どんな営業マンの説明よりも、より深く製品について理解することができます。仮に操作や使い方がわからなくとも、ベンダー側がどんどん情報を発信してくるため、公開情報をもとに自社の業務に照らし合わせて、製品を評価することが可能になります。オープン化はシステム構築プロジェクトの失敗リスクを大きく減らすことができるのです。

システム構築プロジェクトが失敗する原因は多々ありますが、失敗要因の一つに、選択した製品と業務のミスマッチがあります。

売る側であるベンダーは、どうしても「できます、できます」のオンパレードで売り込んでしまいがちです。しかし、いざ購入してみると、説明された通りに使えなかったり、追加の費用が発生したりすることがあります。

その点、オープン化されたソフトウエア製品なら、事前に製品の機能を確認できるため、このミスマッチを事前に防ぐことができます。つまり、ソフトウエアの選択をユーザーが主体的に行えるようになるのです。これは、ユーザーにとっては大きな付加価値となります。

三つ目に起こるのは、市場の変化です。

オープン化されたソフトウエアの情報は、ベンダー側はもとより、ユーザーからも情報発信が活発に行われるようになります。

情報がオープンにされているため、ユーザー企業はシステム構築プロジェクトのリスクを低減し、成功の確率を上げることができます。成功したプロジェクトは、やはり多くの人に知ってもらいたくなるため、ケーススタディの発表も多くなります。

ケーススタディの数が多くなると、多くのプロジェクトが、共通の悩みや課題を持っていることがわかったり、ほかのプロジェクトで実施された解決方法などを知ったりする機会が増えてきます。情報共有のために、ソフトウエアベンダーが中心となってユーザー同士を取り持ち、会話ができる場所を提供することで、共通の悩みや課題を解決するコミュニティが生まれてきます。

先述したＡＣＥのように、コミュニティでユーザー同士が情報交換するようになると、よく失敗するポイントや他社で実現できているアイデアなどを、自社のプロジェクトに生かすことができます。共通の悩みは皆で共有して、解決につなげ、自社はとんがっている部分に特化してプロジェクトを進めることができるのです。このサイクルがまわれば、プロジェクトの失敗の確率を低減しながらシステム構築を進めることが可能になります。

このようにオープン化が進み、コミュニティ活動が活発になれば、ベンダーとユーザーがWin-Winになれる市場に変化していきます。

第四章

カスタマーサクセスがつくる新たな世界

「満足」の持続がなくては終わるサブスクリプション

Amazon プライム、Apple Music、Netflix や Spotify など、近ごろではさまざまなサービスがサブスクリプションモデル（Subscription Model）を採用していることもあり、多くの人が利用する一般的なビジネスモデルとなってきました。

この章では、クラウドサービスベンダーだけでなく、Microsoft や Adobe をはじめとするソフトウエアの大手ＩＴ企業でも続々と採用が進んでいるサブスクリプションモデルの特徴を解説します。

ソフトウエアの販売形態には、大きく分けて、ライセンスモデルとサブスクリ

図6）製品中心から顧客中心へ

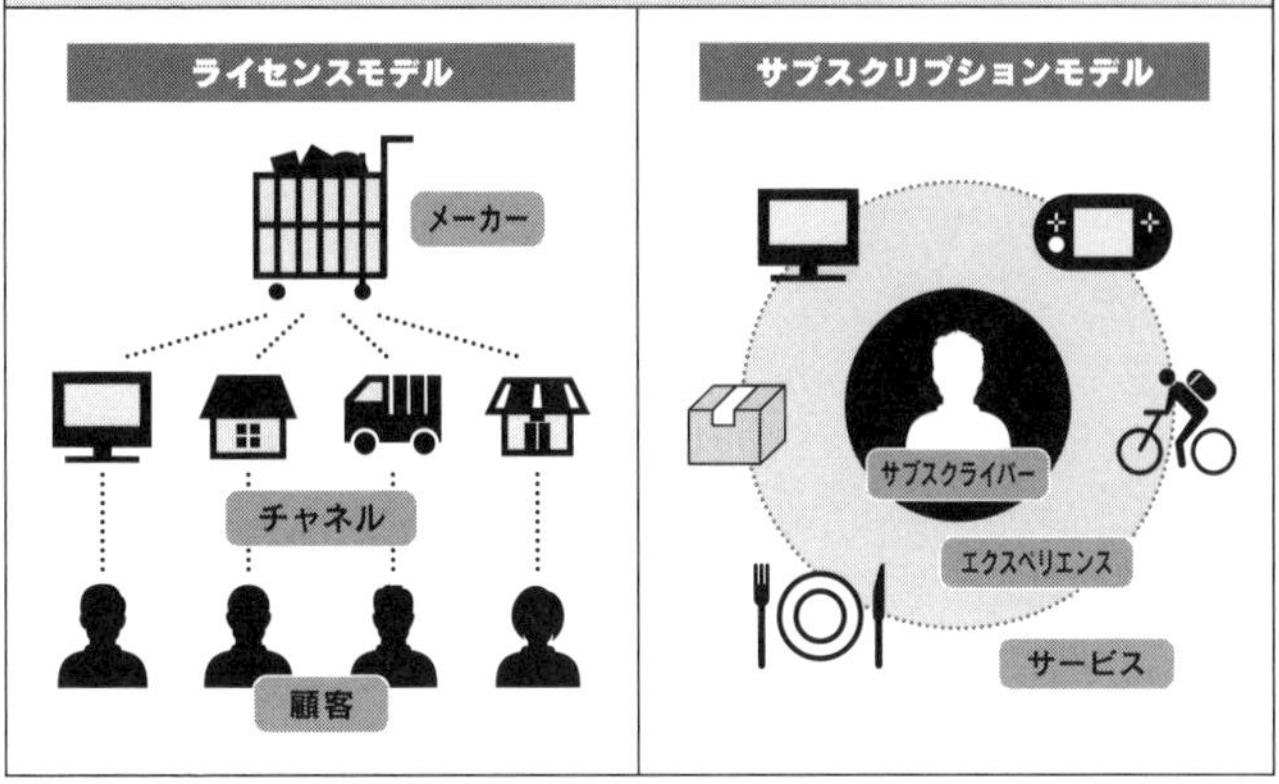

プションモデルの二種類があります（図６）。
ライセンスモデルとは、ソフトウエアの利用許諾契約（ライセンス）を購入することでソフトウエアを利用することが可能となるモデルで、利用を開始する際に料金を支払います。一方のサブスクリプションモデルでは、利用期間を定めて、決められた契約期間分の料金を支払う契約形態です。

一般的には、サブスクリプションモデルは契約期間だけの料金を支払うため、利用許諾権を一括で購入するライセンスモデルにくらべて初期費用が安くすみます。

また、ライセンスモデルはソフトウエアのメンテナンスやサポートにかかる保守費用などが別途継続して発生しますが、サブ

図7）保守とサブスクリプションの違い

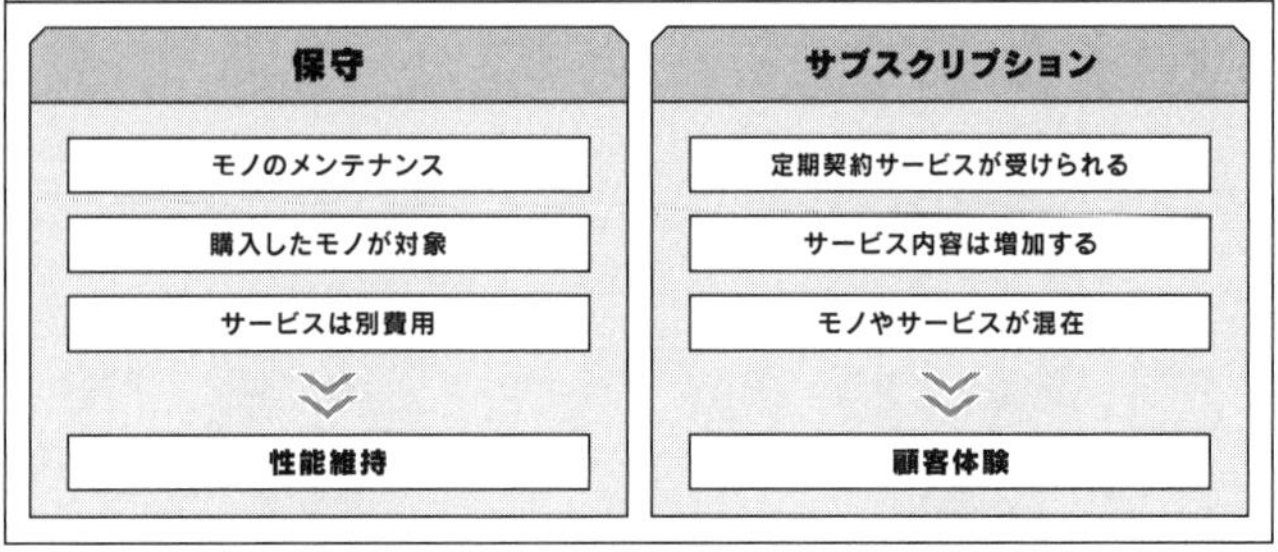

スクリプションはソフトウエアの維持・運用に必要なサポートサービスも含まれています。

ここで、よく混同される「ライセンスの保守」と「サブスクリプションのサポート」の違いを説明してみたいと思います（図7）。

ソフトウエアの維持メンテナンスに関するサービスを提供する、という点だけをとらえれば類似したサービスに見えますが、サブスクリプションモデルを有効活用するためには、実は両者は性格がまったく異なるものだと認識する必要があります。

まず、ライセンスモデルの保守は、文字通りソフトウエアの保守を行う契約です。一方、サブスクリプションモデルのソフトウエア保守は、主にサービスとして受けることができるものです。

もう少し詳しく解説すると、保守契約は、利用許諾を受けた〝特定バージョン〟のソフトウエアに対してのみ適用されます。そのため同じ製品でも、異なるバージョンでは保守を受けることができません。

サブスクリプションの保守は少し異なります。サブスクリプションは期間契約ですから、契約期間内であれば利用できるオプションやバージョンを制限していないのが一般的です。そのため、さまざまなオプションやバージョンのソフトウエアに対するサポートを受けることができるわけです。

このように、ライセンスモデルの保守は、購入したバージョンの製品に限定した「保守業務」であるのに対し、サブスクリプションモデルの場合、バージョンは限定せずにソフトウエアを安定して利用するためのさまざまな「保守サービス」として受けることができるという違いがあります。

「保守業務」を受けるのか、「保守サービス」を受けるのかの違いは、ユーザーにとって大きな差となります。

販売する側の視点から見ると、ライセンスモデルは「ライセンスを販売した時点」で主な企業活動は終了します。その後の保守業務は、お客様がソフトウエアを継続して利用するために提供する業務で大きな収益が発生しないこともあり、販売する側は自ずと、新たにライセンスを購入してくれる顧客に活動の主軸を移動させていきます。

一方、サブスクリプションモデルは契約期間が決められていて、一定の期間が過ぎると契約は解消されます。サブスクリプションを販売する側は、1日でも長くサブスクリプションを契約してもらえるよう、さまざまなサービスをサブスクライバー（サブスクリプション契約者）に提供する必要があります。つまり、サブスクリプションを販売する側は、継続してサブスクリプションを契約してもらえるように、顧客満足度を高めていかなければならないわけです。

ライセンスモデルの場合、ライセンス販売後は顧客との関係が希薄になっていくのに反して、サブスクリプションモデルはサブスクリプションを販売した時点から顧客との関係を密にしていきます。このような顧客企業との関係を重視した活動は、ＣＳＭ（Customer Success Management）と呼ばれています。

カスタマーサクセスに取り組む企業にとっては、お客様の成功を後押しすることが企業活動の中心となります。顧客企業が自社の製品を満足して利用し、顧客企業のビジネスの成功に貢献することができれば、リピートオーダーがもらえます。販売する側にとってＣＳＭは非常に重要な活動となります。

ライセンス販売はともすれば「売り切りビジネス」「売り逃げビジネス」と揶揄されることがありますが、サブスクリプションビジネスの場合は、売り切って終わってしまっては企業活動としてのうまみがないのです。


ソフトウエア企業でサブスクリプションモデルを採用する企業が増えてきている背景には、顧客とのWin-Winの関係が実現しやすいことも一因として挙げられます。

ＰＬＭシステムは製品のライフサイクルにわたりさまざまなユーザーが登場するため、機能を一括で導入するビッグバン方式で稼働させることが難しいシステムです。そのため、システムの導入に際しては、スモールスタートで始め、何度も機能リリースを繰り返しながら、システムを拡張し、業務に役に立つシステムに成長させていく必要があります。

このような取り組みが必要なシステムには、カスタマーサクセスの考え方が不可欠です。システム構築プロジェクトの最中はもちろん、運用中のシステムにおいても、さまざまな課題が発生し、ソフトウエアの不具合以外にも、パフォーマンスの劣化、当初は想定しなかった機能の追加、サーバーの保守切れによるハードの入れ替え、ＯＳのバージョンアップに追随したシステムのアップグレードなどの対応が求められます。

サブスクリプションモデルでは、「保守業務」ではなく「保守サービス」が提供されるため、これらの課題を解決するためのサービスを継続的に提供して、カスタマーサクセスの実現に取り組めます。

契約が続くということは、お客様のビジネスが成功している証しとなります。カスタマーサクセスなくしては、サブスクリプション契約は長続きしません。そのために、ベンダーはお客様のビジネスが成功することを第一に考え、ソフトウエアやサービスの改良に取り組むこととなります。それがめぐりめぐって、ソフトウエアベンダー自身の経営の安定にもつながります。

カスタマーサクセスとサブスクリプションモデル

アラス社がサブスクリプションモデルをPLMシステムの販売に採用したのは2007年です。当時は、クラウドベンダーではサブスクリプションモデルが採用されていましたが、オンプレミスのアプリケーションでサブスクリプションモデルを採用している企業はほとんどありませんでした。

すでに紹介した通り、アラス社では、「これからのエンジニアリングには、業務に合わせたPLMシステムが必要」と考え、業務のカイゼンに追随して対応できるように、ローコードでカスタマイズができるPLMシステムの開発を始めました。

当初は、アラス社もAras Innovatorをライセンスモデルとして販売していたのですが、すぐにシステム構築のプロジェクトがうまくいかないという問題に直面することになりました。

当時のPLMシステム構築は、システムの評価に3カ月、要件定義に4カ月、システム構築に6カ月、テストに4カ月と、十数カ月以上かけてシステムを構築するのが一般的でした。ユーザーは、要件定義してから1年以上たたないと動いているシステムが見られなかったのです。

これでは、プロジェクトに参加しているユーザーのモチベーションを維持することが難しくなってしまいます。さらに、システムの利用を開始する時点で、要件定義のタイミングから時間がたっていることもあり、現場の業務が変わっていたりするなど、本番運用直前で多くの修正依頼がかかることも多々ありました。

このような課題を解決するためには、「簡単にシステムをカスタマイズできること」が必要です。そのため、誰でも簡単に業務に合わせたカスタマイズができるように、Aras Innovatorにローコードの開発環境を実装したのですが、それだけでは問題は解決しませんでした。

ＰＬＭシステムは、製品開発のプロダクトライフサイクルに関わる多くの関係者が利用するシステムです。そのため、当初は範囲を限定してシステムを構築しても、すぐに新しい業務のためのオプション機能が必要になります。

たとえば、ＣＡＤデータの管理のためにＰＬＭシステムを構築しても、ＣＡＤデータだけで設計情報すべてを表現できるわけではありません。ＣＡＤデータの管理と合わせて部品表（ＢＯＭ）情報の管理も必要になります。部品表は常に改定がかかるため、設計変更のオプションも必要です。

設計変更を運用するには、決められた承認フローを回覧するワークフロー機能が必要です。さらにワークフローを使って複数の部門に回覧するには、細かく制御できる柔軟な権限管理機能なども求められる、といったように、どんどん追加機能が必要になってきます。

ＰＬＭシステムのバージョンも問題になります。一般的に、ＰＬＭベンダーは毎年のように新しいバージョンをリリースします。ＰＬＭシステム構築のように、１年以上かけてシステムを構築すると、エンドユーザーにシステムをリリースした時点ですでに新しいバージョンがリリースされていますから、運用と同時にシステムの陳腐化が始まります。

とくに、ライセンスモデルの場合は、新しいバージョンやオプションは別途購入しなければならず、陳腐化を防ぐことができません。

また、利用ユーザーが増えると、小規模では発生しなかった機能面や性能面の問題も発生します。しかしライセンスモデルの保守では、たとえ新バージョンで不具合が解決していたとしても、購入バージョン以外の製品を使って問題を解決することが難しく、ましてや標準機能を改変したカスタマイズは保守の対象から外されてしまいます。ユーザーは自己責任でシステムを保守運用することになるわけです。

このような課題を解決するために、Aras Innovatorではサブスクリプションという販売モデルを採用しました。

サブスクリプションモデルとして提供するのは「システムを利用するために必要なサービス」で、システム自体を販売しているわけではありません。そのため、お客様は必要なバージョンやオプション機能を自由に選択できます。

自社に必要な機能が含まれたバージョンを自由に選択できて、さらに、さまざまなオプション追加で機能拡張してもコストが変わらないサブスクリプションモデルは、ＰＬＭシステムの構築にはうってつけでした。

また、カスタマーサクセスの実現に必要な、カスタマイズによる不具合の切り分けや性能問題のアドバイスなども、サービスとして提供することができます。

サブスクリプションモデルが解決できる課題は、これだけではありません。先述した通り、ＰＬＭシステムでは長期間におけるデータ保存の問題がありま す。通常、製品は数年から十数年の寿命を持ちます。この間、製品の設計情報は常に蓄積されなければなりません。製品のサポートの打ち切り（EOL：End of Life）を迎えても、製品サービスに関わる設計情報は維持管理しなければならないので、設計情報を管理する期間はより長くなります。

製品情報のデータを長期間保管することは、ＰＬＭシステムとしては問題がありません。しかし、ＯＳやデータベースなどは数年単位でＥＯＬを迎えるため、システムもそれに合わせてアップグレードが求められます。

従来のＰＬＭシステムの場合は、それまでに蓄積したデータをすべて新システムに移行することが困難でした。ある程度のデータをあきらめるか、または旧システムを継続して維持するかの選択が必要だったのです。

この問題を解決する方法の一つとして、アップグレードのサービスをサブスクリプションに含めて提供するといったことが考えられます。これにより、すでに運用が始まりデータが蓄積されているＰＬＭシステムも、常に最新のバージョンにアップグレードができるようになります。サブスクリプションサービスにアップグレードサービスが含まれることで、追加費用なしで、最新の機能とセキュリティが備わったシステムとしてＰＬＭシステムを維持、運用していくことが可能になりました。

カスタマーサクセス活動を通してシステム構築プロジェクトの成功に貢献ができるサブスクリプションモデルは、顧客とベンダーがWin-Winの関係を築くことができるビジネスモデルといえます。

ベンダーとの新しい付き合い方

日本の会社はＩＴベンダーと比較的長い付き合いをしている企業が多いように思います。

信頼できるＩＴベンダーと良い関係を構築し、長く付き合うことができれば、大まかな指示をするだけで、意向を汲んでシステムを構築してくれるという点でも、自社のＩＴ化を推進しやすくなるというメリットがあります。

その半面、ＩＴベンダーに任せきりになると、自社にノウハウが蓄積されないというデメリットも出てきます。

ＩＴ業界は新しいテクノロジーが登場するスピードが速く、主流となるテクノロジーのトレンドも目まぐるしく変わっていきます。今、最新のテクノロジーを提供しているベンダーが、将来も継続して最新のテクノロジーに精通しているとは限らないのです。

また、ＩＴベンダーとの付き合いが長くなり、自社にノウハウが蓄積されないと、ベンダーにロックインされた関係になりがちです。ノウハウがないため、新しいテクノロジーを採用することができず、自社をよく知るベンダーに頼るしかなくなってしまうのです。これでは、スピード感を持って改革を進めることができません。

さらに、ベンダー依存になってしまうと、保守費用やシステムの更新にかかる費用だけでなく、他社に依頼できないがゆえに開発の見積もりが高額になるといった、ベンダーだけがメリットを得るという非対称な状況が生み出されてしまいます。

ＩＴベンダーは、最初は自社のサービスを採用してもらうために、優秀な人材や最新のテクノロジーを売り込んできます。しかし、一度顧客の業務に関するノウハウを習得すると、次は顧客が離れないようコントロールし、ベンダーロックインの状態をつくっていこうとする傾向があるのです。

ベンダーロックインを回避し、プロジェクトを成功させる方法として、カスタマーサクセスをビジネスモデルとして採用している企業を選択するのが、一つのセオリーとして定着し始めています。

先述した通り、カスタマーサクセスを採用している企業は、顧客企業と契約した時点でビジネスが終わるのではなく、契約したところからビジネスが始まります。また、カスタマーサクセスをビジネスの軸とするベンダーの多くは、サブスクリプションモデルを採用していることから、契約を更新することでビジネスを継続させています。

そのために、必然的にユーザーの力になれるよう工夫を重ねます。結果として、かなりの確率でプロジェクトを成功に導くことができるのです。

さらに、最初のプロジェクトが成功すると、ＣＳＭ（Customer Success Manager）という役割を担うコンサルタントが、ユーザー企業により良いＩＴ化を提案していきます。カスタマーサクセスを標榜する企業との信頼関係が築ければ、ベンダーロックインから脱却できるだけでなく、スピーディにＩＴ化を推進することができて、ベンダーとのWin-Winの関係が構築できるのです。

サブスクリプションの会計的側面

あまり知られていない事実ですが、サブスクリプションモデルを採用している多くの企業は赤字決算をしています。それにもかかわらず、ビジネスは拡大を続けています。サブスクリプションモデルとライセンスモデルでは、売上・利益のとらえ方に大きな違いがあるため、このような状況が発生します。

サブスクリプションモデルを理解するうえで、重要なポイントとなることなので、違いが最も明確なキャッシュ・フローを用いて、サブスクリプションの会計的な側面を解説したいと思います。

キャッシュ・フローとはその名の通り、キャッシュ（現金）のフロー（流れ）です。売上から得られる収入から、外部への支出を差し引き、どれだけ手元に残っているかを把握するというものです。

いくら売上が多くても、キャッシュがなければ給与などを支払うことができません。逆に、売上が少なくとも、キャッシュが潤沢にあれば、将来に対する投資が積極的に行えます。

ライセンスモデルのキャッシュ・フローは、一般的な物品の販売と同じです。

販売したものが売上として計上され、顧客から対価が支払われ、現金が会社に残ります。

これに対して、サブスクリプションモデルの場合は少し異なる指標を用いて企業活動のパフォーマンスを見ています。

サブスクリプションモデルは一定の期間を定めてビジネスを行うわけですから、契約期間における売上はあらかじめ把握することができます。そのため、売上は「経常収益」「定期収益」という呼び方をします。

サブスクリプションモデルでは、収益を上げる期間に応じて指標が設定されていて、月単位の契約で収益把握する場合はＭＲＲ（Monthly Recurring Revenue）と呼ばれ、日本語では月間経常収益または月間定期収益と訳されます。年間契約の場合はＡＲＲ（Annual Recurring Revenue）と呼ばれ、年間経常収益または年間定期収益と訳されています。

このように、「期間内は一定の状態で続く（経常）収益」を単位として使い、企業のパフォーマンスを見ているのです。

通常の売上は、一度計上されてしまうと下がることはありませんが、経常収益の場合は、プラスとマイナスの両方が発生します。

具体的なMRRの計算式は、次の四つの要素を用いて計算されます。

○New MRR（新規獲得MRR）
○Expansion MRR（既存顧客からの増加MRR）
○Downgrade MRR（既存顧客からの減少MRR）
○Churn MRR（解約されたMRR）

計算式：MRR＝前月のMRR＋（New MRR + Expansion MRR − Downgrade MRR − Churn MRR）

毎月計算されるMRRの12カ月分の合計が年間経常収益（ARR）となり、一般的な年間の売上金額と同じようにあつかわれます。

サブスクリプションモデルは多くのクラウドサービスで採用されているため、SaaSビジネスモデルやクラウドビジネスモデルといわれていますが、サービスの提供方式によらず、これらの指標はサブスクリプションモデル企業で採用されています。

それでは、ライセンスモデルとサブスクリプションモデルのキャッシュ・フローの流れの違いを見ていきたいと思います。

ここでは、仕組みをわかりやすく説明するため、価格が120円の物品が、毎月一つ売れたと仮定します。サブスクリプションの契約期間は1年間、売上月の翌月入金という前提です。

まず、ライセンスモデルの場合、月の売上120円が12カ月続いたため、年間の売上は1440円（120円×12カ月）になります。

売上月の翌月入金という前提で考えると、1月の売上は2月に入金される支払いサイクルとなるため、年間では合計11カ月分の1320円（120円×11カ月）の現金が入金されてきます。

次にサブスクリプションモデルを見てみましょう。こちらもライセンスモデルと同様に毎月120円の物品が売れたのですが、サブスクリプションの場合、売上は契約期間で案分されて計上されます。

そのため、契約期間が1年間の場合、120円で売れたものの、ひと月分の売上は期間案分されて10円（120円÷12カ月）になります。

計算モデルをシンプルにするため、新規のMRRしか発生しないと考えましょう。MRRは毎月10円ずつ増加するので、すべての月のMRRを合計した年間のARRは780円となります。

このように、ARRを1年という会計期間で見た場合、次年度に繰り延べられるMRRが発生するため、ライセンスモデルにおける売上にくらべ数字は小さくなる傾向があります。

一方、入金ベースで考えると、サブスクリプションの契約金は前金で支払われます。1年間で入金される金額は、ライセンスモデルと同額の1320円の現金が入金されるわけです（図8）。

図8）キャッシュフローの比較

ライセンスモデル

売り切りモデルの収益構造

売上が¥120 ／月発生し、入金が翌月の場合
年間の事業活動は下記の通り。
売上＝¥120×12ヵ月＝¥1,440
現金＝¥120×11ヵ月＝¥1,320

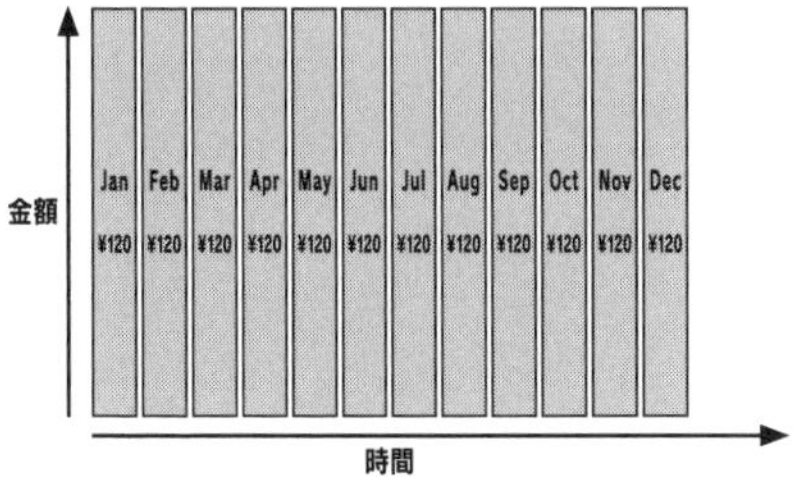

サブスクリプションモデル

＊サブスクリプションの売上は期間で案分されるが、
支払いは翌月に一括で入金される。

サブスクリプションの収益構造

¥120 ／年の売上は12ヵ月で案分されるため
売上としては¥10 ／月を計上。年間の事業活動は下記の通り。
売上＝¥10×年度末までの残月数×12ヵ月＝¥780
現金＝¥120×11ヵ月＝¥1,320

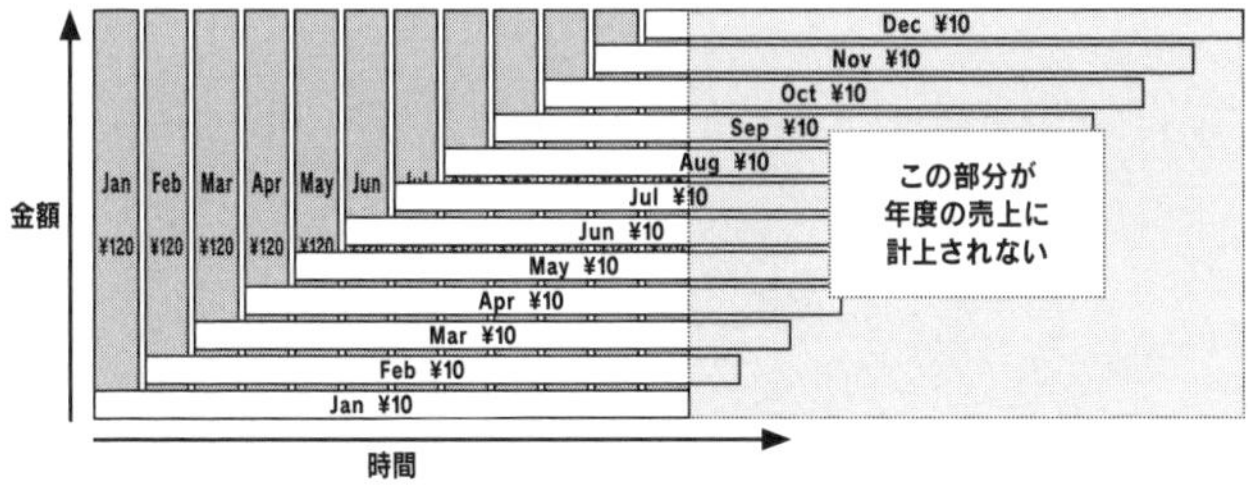

この例からもわかるように、サブスクリプションモデルを採用している企業は、見た目の売上にくらべてキャッシュリッチである場合が多くあります。会計上は赤字でも、手元にある現預金をより早く成長させるための将来への投資に使いやすいのです。

サブスクリプションビジネスでは、一概に「黒字は健全、赤字は不健全」といえるものではないことを示しています。収益性や原価構造などの中身を見て、健全な経営をしているかの判断が必要なのです。

サブスクリプションモデル企業のパフォーマンスを測る指標の一つに、「40%ルール(Rule of 40)」というものがあります。40%ルールでは、「売上成長率」と「営業利益率」の合計が40%を超えているかどうかで企業のパフォーマンスを判断します。

たとえば、売上成長率が60%で営業利益率がマイナス20%の場合、企業のパフォーマンスは良好と判断されます。逆に、売上成長率が20%の場合、営業利益率は20%を確保することが求められます。

スモールスタートで段階導入する

イノベーションを起こすための行動原理として、「Think Big, Start Small, Fail Fast/Learn Fast」という言葉があります。大きく考え、小さくスタートし、早く失敗し、早く学ぶという意味です。

イノベーションを起こすには、あらゆる可能性を考慮し、大きなビジョンのもとでプロジェクトをスタートさせます。しかしビジョンをすべて一気に実現するのは簡単ではありません。リスクを最小限に抑えるために小さく始めて、失敗に早く気づき、無駄な投資を最小限にとどめることが大切です。

また、一度失敗したら終わりではなく、そこで得た知見をベースに再スタートをする。そのサイクルの繰り返しが、イノベーション推進には必要であるという行動規範を表しています。

また、最近では、さまざまな場面で使われるようになった「スモールスタート」という言葉ですが、プログラミングの知識がない人でもソフトウエアの開発が可能なローコード・ノーコードを使った開発環境の広がりとともに、PLMシステムをはじめとする基幹システム構築プロジェクトを成功させるキーワードとしても広まってきています。

PLMシステムを構築する際に、最初に定義しなければいけないことは、PLMシステム導入後に実現される新しいエンジニアリングプロセスのビッグピクチャーやブループリントと呼ばれる新業務プロセスの全体図です。

モノづくりの現場では、自分が行った作業のアウトプットは、次工程の担当者のインプットとして流れて行きます。モノづくりの情報の流れは、製品の企画から設計、生産、納品まですべてつながっています。部分だけのカイゼンやシステムの構築はデータのサイロ化を生み、かえって業務効率を悪化させてしまいます。情報のサイロ化を起こさせないためにも、PLMシステム構築の際には、モノづくり全体が効率的にスムーズに流れているか、新業務プロセスをThink Bigの視点で考える必要があります。

新業務プロセスの全体像が把握できたら、次はシステムの構築です。PLMの場合は、会計基準といった共通ルールのもとに標準化が可能なERPのようなシステムとは異なります。そのため、ビッグバンですべての機能を一気に立ち上げることが難しいシステムなのです。

モノづくりの現場では、部署ごとに独自のルールが運用されて、最適化されているケースが少なくありません。システム化の要件をまとめるにしても、設計部門と生産部門で相反する要件が必要とされたり、品証部門の要望が設計部門の効率を妨げる原因になっていたりすることもよくあります。

従来のように、各部門から要望をヒアリングし、それらをまとめて、エンドユーザーの了承を得てから開発に着手しても、実際に動くシステムを見たエンドユーザーから「この機能では業務の効率が落ちる」「要望していたイメージと異なる」といったフィードバックがくることがあります。そうなると、テストフェーズで多くの手戻りが発生してしまいます。

このようなギャップの発生は、エンドユーザーにもシステムの作り手にも、非があるわけではありません。エンドユーザーは、日々の現場における課題をシステムの作り手に伝えています。一方システムの作り手も、エンドユーザーの要望をできるだけドキュメントにし、合意をしています。

それでも、どうしても共有しきれない部分が残ってしまうのです。

このようなギャップを埋める手法として、ローコード・ノーコードの開発環境が求められています。ローコードでシステム開発を進めることで、プロトタイプを短期間で構築し、実際に動くシステムをエンドユーザーに見てもらいながら、システムの要望事項が確認できます。そうすることで、手戻りを最小限にすることができるのです。

エンドユーザーも、実際に動いているＰＬＭシステムを見ながら要望を作り手に伝えることができるので、本格的なシステムが構築されるまえの段階で、完成後のシステムがイメージしやすくなります。

ローコード開発環境とＰＬＭシステムを一体で提供しているAras Innovatorを例にすると、小さな機能、限定された機能からStart Smallで始め、エンドユーザーの要望に合わない部分はFail Fastですぐにカイゼンし、どのような機能を要望しているのかをLearn Fastで再実装するというサイクルを繰り返して、システムを構築していきます。

このように、スモールスタートで短期間にプロトタイプを作成しながらＰＬＭシステムを構築するアプローチは、Aras Innovatorのユーザーのあいだでは「グリーンハウス」と呼ばれています。

グリーンハウスのアプローチの詳細は次章で解説しますが、ローコードで開発できるメリットを生かし、Fail Fast/Learn Fastを繰り返し、システムを速成栽培する構築手法で、Aras Innovatorを使ったＰＬＭシステムの構築の一般的な手法として広まっています。

最後にもう一つの「スモールスタート」について紹介します。

Aras Innovatorの場合、利用ユーザーが50人規模でも5万人規模でも、同じPLMシステムを使います。小規模はライトバージョンで、大規模はエンタープライズバージョンで、などといった差はありません。唯一の違いは、規模が大きくなればサーバーを分散するなどし、ハードウエアやネットワークを増強することくらいです。

このため、最初は小規模で始め、すべての機能が正常に利用できていることを確認しながら、徐々に利用ユーザーを増やしていくことができます。

スモールスタートから始めて、利用規模の変動に応じて柔軟にシステムを拡大できるので、プログラムの不具合なのか、規模による不具合なのかの切り分けが容易になります。

とくに、利用ユーザーが数千や数万を超えるPLMシステムの場合、当初はスモールスタートで始め、段階的にシステムのスケールアップやスケールアウトができることも大きなメリットです。

ソフトウエアは「やわらかく」あるべき

カスタマーサクセスを実現するためにも、顧客満足度を維持するためにも、持続的にシステムはカイゼンされる必要があります。そのためにはソフトウエアは「やわらかく」ある必要があります。

先述したように、ソフトウエアは言葉のイメージとは反対に、非常にかたく、柔軟な対応ができません。

たとえば、画面レイアウトに属性を一つ追加するにも、次のようなステップが必要です。

①ドキュメントを作成して変更内容を定義する
②システムを止め、データをバックアップする
③SQLでデータベースの定義を変更する
④新しいデータベースの定義に対応してプログラムを変更する
⑤画面レイアウトを変更する
⑥変更内容が正しく動いているかテストして問題なければ完了

これでも、非常に簡単にまとめたステップです。さらに、これらの作業を外注化している場合は、予算化の承認や価格交渉などの工程を経るため、すぐに2〜3カ月がたってしまいます。これでは、システムを現場のスピードに追随してカイゼンしていくことができません。

しかし昨今では、ローコード・ノーコードツールを使うことで、「かたい」ソフトウエアを本来のイメージ通り「やわらかい」ソフトウエアにすることができるようになってきました。

システムは必ずデータベースと連携しています。そのため、ローコード・ノーコードツールを使う際には、データベースと連動しているツールを選択する必要があるという点に注意すべきです。

また、ソフトウエアを「やわらかく」使うには、開発手法の見直しだけでなく、デプロイ（開発したソフトウエアをユーザーに配布する手続き）が簡単に、かつ頻繁に行える環境も必要となります。

システム開発は一度だけで終わりません。システムは継続して何度も修正や改修を繰り返し、よりエンドユーザーが使いやすいシステムにカイゼンしていく必要があります。

一度はエンドユーザーの満足するシステムになったとしても、エンドユーザーの業務プロセスは継続的にカイゼンされるため、プロセスの変更は常に発生します。そのため、システムには、業務プロセスの変更に追随するアップデートが求められます。

今日のソフトウエアのあるべき姿は、「ソフトウエアを使っていることを意識させない」運用です。そのソフトウエアを使うメリット、ありがたみ、便利さなどを、少しも感じさせないぐらい、自然と業務と一体化していて、ストレスなく業務を推し進められるものであるのが理想的だといえます。

ソフトウエアは存在を主張することなく、あくまでも黒子の存在であることが望ましいと考えます。

カスタマー同士が「失敗談」を話し合える場

カスタマーサクセスを実現するのは、ベンダーだけの仕事ではありません。文字通りカスタマー（顧客）がサクセス（成功）するための取り組みなので、顧客自身も積極的にカスタマーサクセスの活動に参加し、より自社のプロジェクトを成功に近づけることが大切です。

通常、カスタマーサクセスは、ベンダー側からユーザー企業に対して、ベンダーの製品やサービスをうまく使ってもらえるように提供されるサービスです。この場合、ベンダーとユーザーが「1対1」の関係となるので、製品の改善要望などのフィードバックはどうしても限定されてしまいます。

しかし、システムを利用するユーザー同士がコミュニケーションできる場があれば、同じような経験や悩みをまとめることができるため、大勢の意見として製品改善の要望をベンダーにフィードバックすることが可能になります。これにより個別の課題なのか、業界全体の課題なのかが明確になり、カスタマーサクセスに大きく貢献することができます。

「カスタマイズがうまくいかず、やりたいことができなかった」「想定以上にコストがかかっている」などといった失敗談を持っているユーザーは多く、このままでは不満だけが残ってしまいます。しかし、失敗談を話し合える場があれば、中には「それについては、うちはこうやってうまくいったよ」という会社が出てきます。

そこから、「その方法をうちでも試してみたい」「そういう方法があるなら、こういう方法もあるかもしれない」というポジティブな問題解決のディスカッションが始まります。

本来ならば隠しておくべき自社の「失敗談」も、話し合えるオープンなコミュニティがあってこそ共有して有効活用できるのです。より良いカスタマーサクセスを実現するうえで、活発なユーザーコミュニティの存在は、非常に重要な役割を果たすことになります。

また、コミュニティでユーザー同士が情報交換をし、「こういう機能があるといい」「みんな同じところでつまずいているよ」といった意見がまとまれば、ベンダーは、次に必要な機能やサービスをより明確に理解することができます。さらにそれらは、ユーザーに還元されることになるので、ますますカスタマーサクセスが向上するというスパイラルを生むことが可能です。

ユーザーコミュニティはオープンであることが大切です。もちろん、ユーザーコミュニティでは、ベンダーにとって好ましくない情報を交換されることもあります。しかし、そのような情報が上がってくるということは、コミュニティが民主的に運営されている表れです。ベンダーが常に監視しているようなユーザーコミュニティは、カスタマーサクセスとして機能しません。民主的に運営され、オープンで自由闊達な意見が交換できるコミュニティを維持することが、ソフトウエアベンダー側の務めです。

活発なユーザーコミュニティから発信される情報は、業界の進化を推し進めるはずです。失敗や成功を共有し、より高いレベルのシステム構築を目指す。まさに「愚者は経験に学び賢者は歴史に学ぶ」を実践できる場としてユーザーコミュニティを運営することも、カスタマーサクセスとしては重要な取り組みとなります。

第五章

持続的変革に向けて

集中と分散を繰り返してきたコンピュータ

システムの持続的変革について触れていくまえに、少しだけコンピュータの歴史を振り返ってみましょう。

１９４０年代後半に登場した大型汎用コンピュータは、当初は限られた組織や企業が主に科学技術計算用に使っていました。やがて50年代に入ると、適用範囲は商用計算にも広がっていき、一気に企業への導入が進み多くの企業がコンピュータを保有し始めました。

60年代になるとマルチタスクで処理できる技術が登場し、コンピュータの空き時間をほかの企業に使わせるタイムシェアリングが登場しました。自社保有の資産を社外ユーザーに利用させることで、高価なコンピュータの投資を回収するというビジネスモデルが誕生したのです。

70年代になってパーソナルコンピュータが登場すると、多くの人たちが個人でコンピュータを所有して業務などに使い始めたため、データは個々のPCに分散されて管理されるようになりました。ところが、90年代に登場したクライアントサーバーが普及したことで、データはサーバーを中心に再び集約されていきます。

インターネットの世界でも、同様の動きが見てとれます。ウェブサイトの閲覧が中心だったWeb1.0時代は、情報の流れが一方通行でした。分散した多数のウェブサイトでインターネットが構成されていたからです。

Web2.0時代になると、情報の流れが双方向となり、GAFAMをはじめとするプラットフォーマーが中央に存在して情報の管理を行っていきます。さらに、Web3.0時代になると、ブロックチェーンを中核とするテクノロジーの普及により、情報は再度分散されてビジネスの民主化が進むと考えられています。

こうして見てみると、コンピュータの歴史は、集中と分散を繰り返していることとがわかります。

コンピュータの歴史と同様に、製品開発のエンジニアリングプラットフォームも、集中と分散を繰り返して進化しています。現在は、そのあるべき姿として、分散されている設計情報を、共通基盤となるプラットフォームに統合管理をするタイミングに来ていると考えます。このデジタルプラットフォームは、ベンダーにロックインされることなく、システムの成長を自分たちでコントロールできることが求められます。

分散している情報をデジタルスレッドでつなげ、全社共通の設計デジタルプラットフォームを実現するには、柔軟にスケールアップ／スケールアウトできるコンピュータリソースが必要です。また、高度なセキュリティを確保することが求められるコネクティッド製品や社外のステークスホルダーともフレキシブルに接続できるインフラとして、クラウドやSaaSなどの環境は、DX時代のPLMシステムを構築し運用していくための、一つの選択肢となってきました。

持続的変革を継続できるPLMシステムの構築は、システムを構築することが主題ではありません。「システムを使って何を実現するのか」に活動の重点を移す必要があります。

本章では、DXの時代に合ったシステムの構築の仕方や活用の方法について解説していきます。

システムシンキングで考えるバーチャルプロトタイプの実現

デジタルエンジニアリングの進化の方向性は、エンジニアリングツールで作成されたデジタルデータを使って、現実の世界のふるまいをデジタルで再現できるようにし、製品開発の早い段階で、膨大な数の洞察と、代替案の検討を可能にする「システム」を中心とした考えにシフトしています。

システムを中心としたデジタルエンジニアリングを実施するには、個別分野を中心とした考え方から、システムシンキングに考え方を移行させる必要があります。

システムシンキングとは、複雑な企業の経営課題や、社会の問題解決のために、「システム」「情報」「制御」という概念を組み合わせ、対象をモデル化し、物事を俯瞰しながら考えていくアプローチのことです。システムシンキングを使うことで、複雑化する問題をわかりやすくモデル化することができます。

つながる世界のコネクティッド製品は、モノ単体だけでなく、利用環境のインフラやサービスなども考慮してつくる必要があります。コネクティッド製品のような複雑なアーキテクチャの設計を進めるために、設計の各フェーズにおいて、製品に関する要求分析、システム定義、変更によるインパクト、シミュレーションによる検証結果との関係性などを俯瞰して把握できる、ＭＢＳＥの採用が進んでいます。

ＭＢＳＥで作成されたモデルは、複雑な製品のアーキテクチャを効率的に設計するだけにとどまりません。ＭＢＳＥで構築されたモデルを使ってシミュレーションを実施し、バーチャルプロトタイプという形で、システムの挙動を早い段階で検討することに使われています。ＭＢＳＥの検討結果は、後工程のＣＡＤを使ったフィジカルモデルを作成する設計作業にも活用されていきます。

製品が複雑になればなるほど、設計の各フェーズでは、さまざまなシミュレーションを通して、より良い代替案を設計の早い段階で検討することが求められます。そのため、上流の検討内容と下流の作業内容は、今まで以上に関連性を持つこととなり、より良い製品設計や効率的なエンジニアリングを実現するために、設計情報間のトレーサビリティをしっかり確保し、変更に関わるインパクトを即座に把握して、設計情報と実際のテスト結果を関連付けた検証方式を確立する必要があります。

システムシンキングがデジタルエンジニアリング環境の実現に求められている背景には、バラバラで連携されていない個別のプロセスを連携し、エンジニア以外の人も設計情報にアクセスできることによるメリットを創出し、紙中心の考え方からデータ中心の考え方にシフトさせていくことが求められているからです。

データ中心の考え方にシフトさせるには、まずデータと作業を分離して、データを自由に活用できる状態にします。そののち、目的に応じたデータに再構築して、インフォメーションとしてまとめ、最終的には、組織にとって価値のあるナレッジとして蓄積していく、というステップを踏んでいくことになります。

データ中心の考え方にシフトすることができれば、設計の各フェーズで、シミュレーションを実施することが可能になります。ＭＢＳＥで設計したアーキテクチャのモデルを使って、バーチャルプロトタイプを行ったり、ＣＡＤで作成されたモデルを使ってデジタルツインプロトタイプを進めたり、実機のテスト結果とデジタルインスペクションや、ＨＩＬＳ*（Hardware In the Loop Simulator）との連動を実現するなどといった、設計のさまざまなフェーズにおけるシミュレーションを通して、数多くの代替案の検討を行うことが可能になるのです。

ＤＸ時代のＰＬＭシステム構築において、システムシンキングが必要とされるのは、場当たり的なシステム構築を防ぐという目的があります。ＰＬＭシステムの最大の役割は、エンジニアリングチェーンに関わる人たちが作成するデジタルデータを、サイロ化させることなくプロダクトライフサイクル全域に流通させることです。

製品開発に関わる各エンジニアは、デジタルツールを使って成果物を作成していきます。多くの場合、エンジニアが見ているのは、自分が担当している作業を効率化するためのツールだけです。そのため、全体最適が考慮されていないツールを使ってデジタル化された設計成果物は日々増えていきます。

したがって、ＰＬＭシステムのような、プロダクトライフサイクルにわたる共通プラットフォームがないと、データはすぐにサイロ化され、エンジニアリングプロセス全体の効率化を妨げる要因になってしまうのです。

＊ Hardware In the Loop Simulator あるいは Hardware In the Loop System の略で、ECUのテスト装置のこと

また、ＰＬＭシステムの構築で難しいのは、何か問題が発生した場合に、「その時点で顕在化している問題」に対して解決策をとれば良い、とはいえないところです。ＰＬＭにおいて、問題解決をするためには、プロダクトライフサイクル全体を俯瞰し、適切な対策を検討していく必要があります。

システムシンキングでは、すべての問題はつながっていると考えます。そのため、一つの事象に変化があった場合、関連するほかの物事にも影響しているととらえます。

したがって、問題解決に際しては、「特定の誰かの行動を変えればいい」と考えるのではなく、「その行動を生み出したシステムとしての構造を変えない限り、そのシステムは同じふるまいを繰り返す」と考えるわけです。実際に、繰り返される問題の多くは、個人の問題ではなく、システム（仕組み）の問題であることが多々あります。

システムシンキングをベースに置いて、ＰＬＭシステム構築に取り組むと、問題の根本的な把握がしやすくなります。ＰＬＭシステム導入によって、従来からあるシステムの見える化を行い、新しい業務に合った設計プロセスのデザインを行うことで、デジタライゼーションからデジタルトランスフォーメーションにつなげることが可能となるのです。

要件定義をしないシステム開発

ＰＬＭシステムで最も重要なものは、ＰＬＭシステムで管理されている設計コンテンツです。設計コンテンツは、製品がエンドオブライフを迎えるまで、いつでも参照できるように管理しておくことが理想です。

通常、ＰＬＭシステムを構築する際は、最初にエンドユーザーである設計部門や生産技術部門などにヒアリングして、業務プロセスの流れや、各設計作業で作成されているデータの種類、作業サイクルや承認、回覧の方法などを確認します。多くの場合、それらをドキュメントとして明記し、業務として間違いがないかをチェックしながら、新しい業務プロセスを設計します。

要件定義フェーズは、一般的に3カ月～4カ月かけて現状をヒアリングし、要望事項は数百ページに及ぶこともあります。

システム構築をするベンダーは、「記載内容に間違いがないか？」「業務として成り立つのか？」とエンドユーザーに確認しますが、数百ページに及ぶドキュメントですから、内容を正しく理解し、適切な内容になっているかを判断するのは非常に困難です。結果として、ユーザーはできあがったシステムを見るまで、システム化要件として定義された内容が正しかったのか判断ができません。

たとえドキュメントの段階でシステム化される内容を理解し納得していても、その内容がシステムとして実現され、ユーザーが使い始めるまでに、プラス数カ月の時間を待たなければなりません。それだけの時間が経過していると、現場の業務がすでに変更されている場合も多々あることは先述した通りです。

　このような、システムの作り手とエンドユーザーとのあいだのギャップをなくし、ローコード開発環境を用いて開発を進める方法論が「グリーンハウス」です。グリーンハウスでは、通常はシステムの構築に先立って行われる、エンドユーザーからのヒアリングを「しない」ところから始まります。ヒアリングを行わない代わりに、ＩＴ部門（またはユーザー自身）が、あるべき業務シナリオとして「こういった機能があれば仕事に役立つだろう」という内容を先行して考え要件を固めていきます。

　この新しいシステムの構築手法が画期的なのは、ドキュメントとして記述するのではなく、ローコードでいきなりAras Innovator上に実現していくというところです。ローコードである程度イメージ通りのシステムやアプリケーションができあがってきたら、そのシステムをエンドユーザーに見てもらって、ダメ出しをしてもらいます。

ユーザーは、実際に動いているシステムに触れることができるため、具体的に将来の業務プロセスをイメージしやすくなり、カイゼン要望などがあれば指摘事項として具体的に挙げることができます。実際に動くシステムを操作しているため、ドキュメントに記載された要件定義書のように行間を読む必要もありません。

ここで重要なことは、ユーザーからフィードバックのあった指摘事項を短期間で改修し、再度エンドユーザーにレビューをしてもらうことです。

グリーンハウスプロジェクトの場合は、約1週間から10日サイクルでこのレビューを繰り返していきます。このように、システムを〝促成栽培〟するアプローチなので、グリーンハウスというプログラム名が付けられました。

このような開発ができるのは、Aras Innovatorがローコードの開発環境を持っているから「だけ」ではありません。PLMシステムとして、必要となるさまざまなサービス（プログラム）が標準機能として用意されていて、これらのサービスを自由に組み合わせられるからこそ、新しいシステムやアプリを〝促成〟で実現することができるのです。

促成栽培されたシステムやアプリケーションは、短期間の開発サイクルを繰り返すため、プログラムとしては雑につくられています。そこで、グリーンハウスで作成されたシステムやアプリケーションをベースに、IT部門が要件を把握し、本番のPLMシステム環境に反映する際に、プログラムやデータモデルをリファクタリングしたのち、システム全体として整合性を取って、新バージョンとして本番システムにリリースしていきます。

アラス社はAras Innovatorの開発に際して、CI（Continuous Integration）／CD*（Continuous Delivery）サイクルを実現するためのDevOps**環境も合わせて提供しています。

Aras DevOps環境を使うことで、ビルド環境、SIT環境、UAT環境、ステージング環境を経て、本番環境にデプロイする流れを管理することができます。ローコードの開発環境と合わせてDevOps環境を組み合わせると、ユーザーの要望を

＊ 継続的インテグレーション、継続的デリバリーと訳されるソフトウエア開発の自動化プロセス

＊＊ Development（開発）とOperation（運用）を組み合わせた言葉で、開発担当と運用担当が連携・協力して、フレキシブルかつスピーディーに開発するソフトウエアの開発手法

柔軟に反映することが可能なＣＩ／ＣＤを実現できます。

グリーンハウスアプローチを実現するためには、ローコード開発環境の整備だけでなく、ローコードツールが容易に利用できるサービスとしてのプログラムコードが充実していることが必須です。さらに、データベースに保存されているデータが、ローコードによるプログラムの変更時にも、安全に維持・管理できることもポイントとなります。

持続的に変革できるシステムを目指して

組織は、持続的に変革を起こし、継続して価値を創出することが求められています。

企業を取り巻く環境は常に変化しています。この変化に対応し、自ら変革を起こし続けなければ、市場における競争に負けてしまいます。これまでにも、持続的変革は、どの企業でも「カイゼン」という形で実施されてきました。

カイゼンとは、より効率的な業務プロセスに変革していくために、ボトムアップによって取り組んでいく活動です。カイゼンの主な流れは次の通りです。

①個人の気づきにより、より良い活動方式が発見・発明されそれを定型化する
②個人の気づきによる新しい仕事のやり方を、関連するプロセスにそって整理する
③新しいプロセスを定着化させるシステムを導入する

②「新しい仕事のやり方を、関連するプロセスにそって整理する」ためには、チームまたは組織として、ほかのステークホルダーとコミュニケーションをとる必要があります。そのうえで、仕事のゴールまでのスループットを効率化することが

求められます。

エンジニアリング業務は、前工程のアウトプットを受けて、自工程の作業を行い、その成果物が後工程のインプットとして流れていきます。一度完成した設計成果物も、ほとんどの場合、製品の改善・改良という形で設計情報は改定されていきます。この変更された内容の影響は、正しく後工程に伝えなければなりません。

ＰＬＭシステムのような、製品開発の企画から設計、製造、サービスまでのプロダクトライフサイクルにわたる情報を管理するシステムの場合、前工程と自工程、および後工程間で、情報がスムーズに流れるように設計する必要があります。

ここで新たに設計されたプロセスは、③「新しいプロセスを定着化させるシステム」として、ＰＬＭシステムを導入しプロセスを定着させていきます。

このように、ＰＬＭシステムは、自社の業務プロセスに合わせた形で導入することが求められますが、ここで一つ問題があります。

現場のカイゼンは、①にあるように「個人の気づきにより、より良い活動方式が発見・発明されそれを定型化する」作業が毎日繰り返し行われます。一度定めた新しいプロセスも、常に変更されていくわけです。

このとき、新プロセス定着のために導入されたPLMシステムも、新たな要件に対応させる必要がありますが、多くのPLMシステム構築プロジェクトでは、一度導入されたシステムが頻繁にカイゼンされることはあまりありません。小さなカイゼンは取り込みますが、大胆なカイゼンは時間もお金もかかるため、PLMシステムに取り込まれないまま、放置されることも多々あるのです。

PLMシステムが、変更に柔軟に対応できないという問題もあります。機能の変更や追加の開発は、新規導入より作業が複雑になり、金額も初期導入より割高になります。

せっかく現場のプロセスが日々カイゼンされているにもかかわらず、PLMシステムが硬直化したままでは、新しいカイゼンプロセスは定着しません。定着しないならまだしも、カイゼンの足かせになってしまっているPLMシステムも少なからず存在します。このような状況に陥ってからようやく重い腰を上げ、新しいPLMシステムの導入を検討し始めるというのは、よくあるパターンなのです。

では、現場のカイゼンを邪魔することなく、持続的に変革していくことが可能なPLMシステムにしていくためには、どのような取り組みが必要なのでしょうか。

①ローコード・ノーコードの開発環境を整え、ある程度の変更は自前で行えるようにする

②新たに開発された機能を迅速に本番環境に反映できるCI／CD環境と、それらの連動

③OSやデータベースなどの、ミドルウエアやハードウエアの変更に柔軟に対応するためのアップグレーダビリティ

PLMシステムにローコード・ノーコードな開発環境を用いるのは、グリーンハウスのようなアプローチで要件定義を進め、ユーザーのニーズにあった機能を開発するためです。また、現場のカイゼン内容を持続的に開発していくためにも、ＰＬＭシステムと連携したローコード・ノーコードの開発環境は有効となります。

開発サイクルを短期間でまわしながら、どんどん機能を本番環境に適用していくことができるＣＩ／ＣＤ環境を整えていくことも望まれます。システムがコンテナ対応していれば、Kubernetesのようなオーケストレーションツール*を使って、ＣＩ／ＣＤの運用を簡素化することができます。

ＰＬＭシステムは、製品のライフサイクルに合わせて、長期間利用されるシステムです。最近でこそ、製品寿命は短期化傾向にありますが、それでも一般的な家電製品で5年から10年、船舶や航空機などでは数十年という製品寿命が一般的です。その間は、設計情報に安全にアクセスできるようにシステムを運用できることが望まれます。

重要なのは、ＰＬＭシステムの機能ではなく、中で管理されているコンテンツ

＊複数のコンテナを効率的に統合管理できて、運用負荷の大幅な軽減ができるツール

（データ）なのです。製品寿命に対応して、設計情報が継続して利用できるよう、システムが維持メンテナンスされていることが必要となります。

ＩＴの世界では、数年もたつとＯＳ、データベース、ハードウエアがＥＯＬ（End of Life）を迎え、サポート切れになります。ＰＬＭシステムのクライアントとして使っているウェブブラウザなども、頻繁にバージョンアップしているため、ＰＬＭシステム自身もこれらのバージョンアップに対応していかなければなりません。

コネクティッド製品の設計情報を管理するデジタルプラットフォームは、持続的変革が必要となります。システムを取り巻く外部環境の変化への対応と、管理されているコンテンツが１００％利用できるアップグレーダビリティが求められているのです。

もちろんアップグレード後も、それまで行われていた業務に合わせた、カスタマイズ部分が利用できることは必須です。

ＤＸ時代のＰＬＭシステムは、スマートフォンやクラウドのアプリケーションのように常にアップグレードを繰り返し、ユーザーが求めるカイゼン機能が取り込まれ、製品寿命に対応して長期間、設計情報が利用できることが求められます。

事業視点で考える

DX時代のPLMシステムを考える際、企業会計で用いられているCAPEX(Capital Expenditure)という視点から、OPEX(Operating Expenditure)という視点に切り替えていく必要があります。

CAPEXは資本的支出と訳されます。事業活動や資産価値向上のために行われる支出のことを指していて、製造業では設備投資などの活動をいいます。

一方のOPEXは事業運営費と訳され、業務費用や運営費など、事業を運営していくために必要な諸々の経費を指しています。

ＣＡＰＥＸが、企業における将来的な投資としての指標であるのに対し、ＯＰＥＸは、日々発生する運営費や経費の指標として使われています。ＣＡＰＥＸ視点で費用をとらえると、「削減が望ましい」と考えられるのに対して、ＯＰＥＸ視点で費用をとらえると、「適正に管理できていれば問題ない」という見方になります。


ＤＸ時代は、つながる世界のインフラとして、クラウドがＩＴ投資の選択肢の一つとなっています。これまでのＩＴシステムは、自前でサーバーやネットワークを準備し、またサーバールームや運用人員なども自社で持つことが一般的でした。

そのため、システム投資の考え方も、ＣＡＰＥＸ的に「投資金額はできるだけ削る」「新規に投資したものも安定してきたらどんどん予算を削り、当該システムへの投資は年々ゼロに近づける」ことが良しとされてきました。

しかし、ＤＸ時代のシステムはこの方程式が成り立たなくなってきています。今日では、多くのシステムがクラウド経由で提供されるため、システムを利用するに際し、自前でサーバーやネットワークなどのＩＴ設備への投資をする必要がありません。ユーザーはクラウドサービスを契約すればすぐにサービスを利用することができるからです。

ＳａａＳを利用する場合は、システムのオペレーションもベンダーが行うため、システムの保守・運用要員を抱える必要もなくなってきました。ＳａａＳでは、システムの利用状況に応じて、自動的にスケールしてパフォーマンスを維持するサービスなどもあります。このようなサービスに加入していれば、急激なユーザーの変動や利用状況の変化にも対応可能です。

また、これからのＰＬＭシステムには、社外のサプライヤーや異業種企業との情報交換などが必要となってきます。ＳａａＳの場合なら、このような状況においても、柔軟にネットワークやセキュリティを確保することが可能です。さらに、利用状況に変化がある場合でも、自前の設備より安全かつ柔軟にＩＴインフラを拡張することができます。

これまでのPLMシステムは、CAPEX視点で見られていたため、すでに運用されているシステムにさらなる投資を行うことに対して、理解されにくい面がありました。しかしPLMシステムは、業務の変化に追随して改良・改善を重ねていかなければなりません。業務の変化への対応を怠ると、技術革新の早いITの世界では、あるタイミングで再度システムを入れ直さざるを得なくなります。すると、その時点で蓄積しているデータの再利用性の確度が著しく低くなってしまいます。

OPEX視点でPLMシステムを見ると、ITインフラとして必要なサーバーやネットワーク、アプリケーションの費用などは、日々の運営費として定額で計上されます。業務に変動があった場合は、柔軟に拡大したり縮小したりすることもできるので、コストに対するフレキシビリティを確保できます。電気・ガス・水道のように、必要なときに必要な量だけ買えば良いのです。

ぽつんと僻地に存在する一軒家なら、自前で電気・ガス・水道のインフラを整える必要があり、一度構築したインフラをなかなか捨てられず、インフラの日々の運用はできるだけお金がかからないようにしたいとＣＡＰＥＸ的に考えますが、公共サービスとして提供されるインフラに対してはＯＰＥＸで考えるのと同じです。

ＣＡＰＥＸからＯＰＥＸへの視点の変更は、税務上でもメリットがあります。ＣＡＰＥＸは会社の資産としての投資ですから、固定資産として課税対象となります。しかしＯＰＥＸの場合、サブスクリプションとして計上された費用は経費とみなすことができるため、税の計算時に売上から差し引けるわけです。

視点を切り替えることで、ＩＴ資産の運用管理から脱却し、本来行うべき業務に投資を集中できるという点が大きいのではないでしょうか。

ITをホワイトボックスにする手の内化

「手の内化」とは、トヨタグループで使われている言葉で、「自社製品の進化に関わる重要技術を外部調達する際、発注元が技術を理解したうえで主導権を持った企画・開発を行う」という考え方です。

自社の強みを生み出す部品について、技術のブラックボックス化*を防ぐとともに、同様の部品を外部調達する際には、調達先の提案内容を正しく理解・評価し、適正な原価・品質を確保することの重要性を説明する言葉として使われています。

ＩＴシステムがビジネスの強みを生み出す重要なファクターとなっている現在、モノづくりの重要プロセスがブラックボックス化された状態というのは許されません。同様に、ＩＴのブラックボックス化を防いで、ベンダーにロックインされない状態でシステムを運用することも非常に重要なテーマです。

クラウドやＳａａＳのインフラが利用できる今日では、社内にＩＴインフラを持つ必要性がなくなってきました。また、アプリケーションもローコード化が進んでいるため、システムの拡張をベンダーに依頼することも不要になってきました。このような変化は、社内のＩＴ要員の業務を、本来あるべき業務改革や経営戦略に向けられることを示唆しています。

しかし、だからといってすべてを内製化する必要はありません。必要があればローコード・ノーコードで開発すれば良いのですが、場合によっては外注化して開発した方が効率的なこともあります。

また、ハードウエアやネットワークについて詳しくはわからずとも、認証方式やコンテナ技術**などはノウハウとして取得し、自社の要件を正しくベンダーに伝

* 黒い箱の中で業務が行われているように、業務遂行のプロセスがわからないこと

** アプリケーションとその実行環境を一つにまとめあげる技術

える知識を持つことは必要です。

ＤＸ時代の基幹システムは、先述したように、電気、ガス、水道といったインフラのように利用されていきます。

普段の私たちは、電気やガスを利用する場合、どのような設備を経由して、どのように運用管理されているのか、などといったことは意識していません。スイッチを押せば灯がつく、蛇口をひねれば水が流れることを当たり前のこととして享受しています。

ＤＸ時代の基幹システムも、これと同じように、きちんとサービスが利用できれば良いわけです。ただし、ベンダーロックインされないためにも、ＩＴをホワイトボックスにする手の内化の取り組みは今後どんどん重要になってきます。

ＰＬＭシステムをはじめとする基幹システムも、今後は、特定の会社からだけサービスを受けるのではなく、電力やガスの自由化のように、用途に応じて使い分けることができるようになっていくでしょう。

ＩＴのブラックボックス化を防ぎ、ベンダーにロックインされないこと、またＰＬＭシステムを経費として運用できるようになることで、事業活動の変化に柔軟に対応できるレジリエントなデジタルエンジニアリング環境を実現することができるのです。

おわりに

「成功とは成功するまでやり続けることで、失敗とは成功するまでやり続けないことです」

これは、松下電器産業創業者（現パナソニック）松下幸之助さんの言葉です。洋の東西を問わず、新しいことに取り組み成功した経験を持つ人はこの言葉に共感することでしょう。

ＰＬＭシステムの導入成功率が50％前後であるといわれる中で、アラス社はＰＬＭシステムに先進的な機能を提供するだけでなく、どうすればＰＬＭシステムの導入成功率を向上させることができるかについて考えてきました。

その結果、行き着いたのは「ソフトウエアのオープン化」であり「サブスクリプションモデルの採用」でした。ＰＬＭ業界におけるこの二つの変革は、その後のデジタルトランスフォーメーションの広まりと相まって、今日では、同様の取り組みが多様な業界で進められています。

本書では、ＰＬＭシステム導入の成功率を上げるために、アラス社がトライ&エラーで取り組んできた経験をご紹介してきました。これらの取り組みは、Society 5.0で実現される〝つながる世界〟の創出に相通ずる部分があり、ＰＬＭ業界にとどまらず、さまざまなＤＸプロジェクトにも活用できる方程式だと考えています。また、つながる世界を実現するＤＸの成功には、オープン化やカスタマーサクセスを通じた、持続的変革の取り組みが不可欠だと考えます。

企業活動の見える化には、大きく分類すれば、三種類の基幹システムからの情報が必要となります。

一つ目はお金の流れの見える化を実現するＥＲＰ(Enterprise Resources Planning)、二つ目はモノの流れ（物流）の見える化を実現するＳＣＭ(Supply Chain

Management)、三つ目はモノづくりの見える化を実現するPLM(Product Lifecycle Mangement)です。業種業態が異なっていても、モノをつくって消費者に届け、収益を得るという方法論に変わりはありません。この三つの軸が、うまく融合できてはじめて企業活動の見える化が実現できるのです。

これらの基幹システムの導入は、デジタル化のフェーズでいうと、デジタライゼーションに相当します。ところが、ERPやSCMにくらべ、PLMのデジタル化は、投資対効果が見えにくいこともあって後回しにされることが多く、属人的な作業が多いエンジニアリング業務のIT化はなかなかうまく進めることができませんでした。

しかし、つながる世界で成功していくためには、〝モノ〟の情報を管理するPLMを戦略の中心として、新たなビジネスモデルを構築し、これまでになかった付加価値を生み出すことでデジタルトランスフォーメーションを実現していく必要があります(図9)。

このようなDXの取り組みには、PLMシステムの構築と同様に、Small Start

図9）３種類の基幹システムとその目的

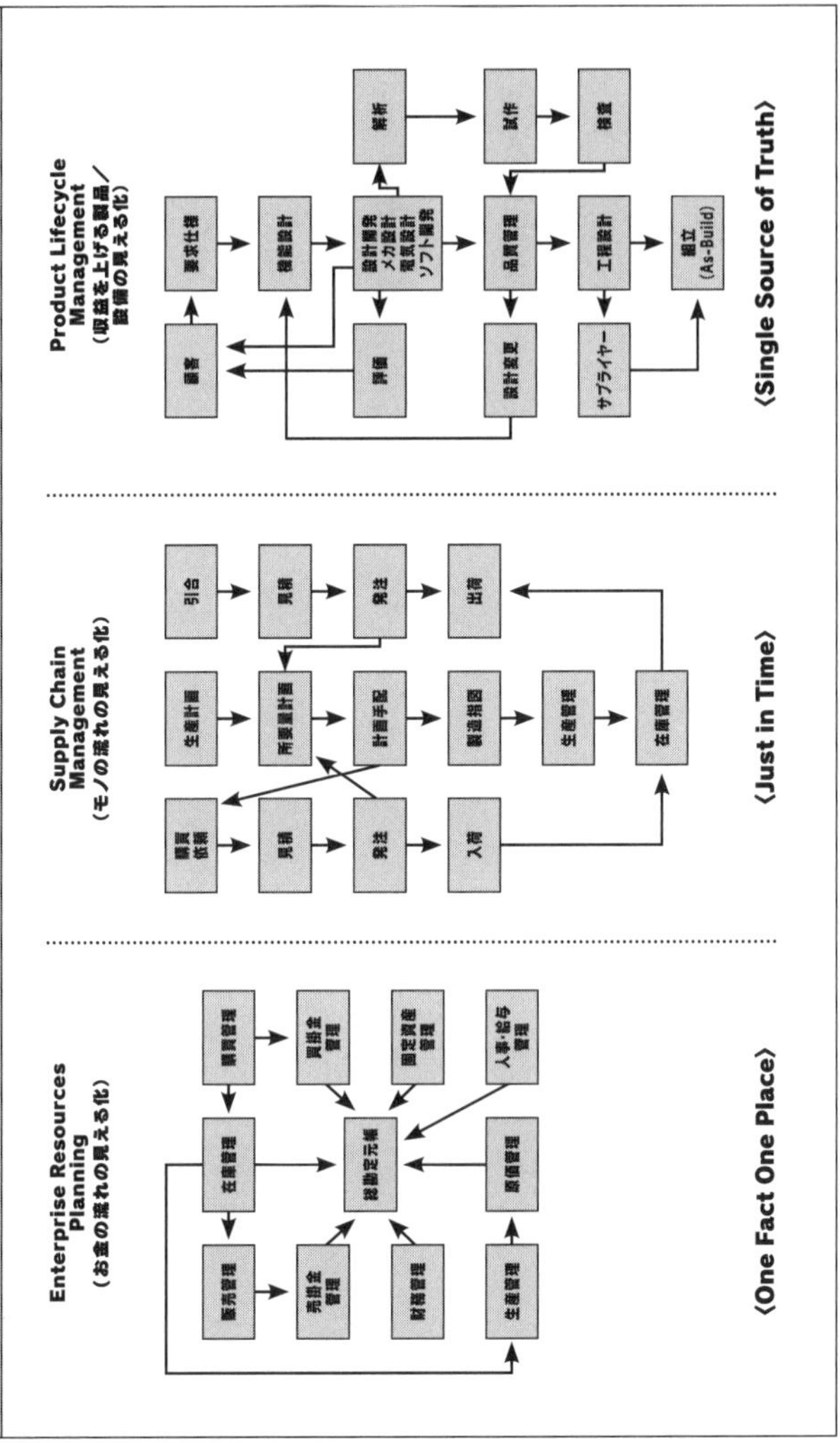
Enterprise Resources Planning
（お金の流れの見える化）
購買管理
買掛金管理
固定資産管理
人事・給与管理
在庫管理
総勘定元帳
原価管理
販売管理
売掛金管理
財務管理
生産管理
〈One Fact One Place〉
Supply Chain Management
（モノの流れの見える化）
引合
見積
発注
出荷
生産計画
所要量計画
計画手配
製造指図
生産管理
在庫管理
購買依頼
見積
発注
入荷
〈Just in Time〉
Product Lifecycle Management
（収益を上げる製品／設備の見える化）
解析
試作
検査
要求仕様
機能設計
設計開発
メカ設計
電気設計
ソフト開発
品質管理
工程設計
組立
(As-Build)
顧客
評価
設計変更
サプライヤー
〈Single Source of Truth〉

で始め、Fail Fast/Learn Fastで持続的に変革していくことが求められています。

アラス社が創業した2000年、競合他社は売上が数千億円規模の巨大な企業ばかりでした。しかし、PLMシステムのカテゴリーに関していえば、どの企業もまだまだカイゼンの余地がたくさん残っていました。

本書では、製造業におけるエンジニアリング環境を、「デジタイゼーションからデジタライゼーションを経て、デジタルトランスフォーメーションにシフトする」ための取り組みを紹介してきましたが、これらの取り組みこそ、アラス社が市場と対話を続けながら、ベンチャー企業からPLM業界の主要プレイヤーに成長する過程でたどり着いた一つの答えなのです。

本書で紹介した内容には、既存のビジネスモデルを変革し、新しいビジネスモデルを作り出していく取り組みのエッセンスがちりばめられています。

PLM業界にオープンな文化を持ち込み、ソフトウエアの民主化を推進すると共に、カスタマーサクセスにより顧客プロジェクトを支援する。そうすることで顧客満足度を向上させ、変化の激しい時代であっても市場における競争優位を維持するためのデジタルトランスフォーメーションが実現できるはずです。

読者の皆様が、それぞれのＤＸプロジェクトを成功させるためには、顧客へのサービスに対しても、社内のカイゼンに対しても、「それは持続的な変革であるか？」を意識しながら検討を進めていくことが大事です。本書で紹介した、私たちが実施してきたさまざまな取り組みや、そのベースとなった考え方が、皆様のＰＬＭシステム導入やＤＸプロジェクト成功の一助になれば幸いです。

最後に、ＰＬＭ業界の変革に取り組んできたPeter Schroer, Marc Lind, Gregory Rasin, Rob McAveney, Martin Allemann, Andreas Mueller, Kazuya Miyauchi, Hiroaki Okuboをはじめとするグローバルの The Punksメンバーと、常にこのジャーニーを支援してくれた妻に感謝の意を表して筆を擱きたいと思います。

著者

Vendor Lock-In ベンダーロックイン
DX時代のソフトウエア民主化革命
〜The Punks From Andover〜

発行日　2023年1月27日　第1刷

Author　久次昌彦

Publication　発行　ディスカヴァービジネスパブリッシング
発売　株式会社ディスカヴァー・トゥエンティワン
〒102-0093　東京都千代田区平河町2-16-1 平河町森タワー11F
TEL　03-3237-8321（代表）　03-3237-8345（営業）
FAX　03-3237-8323
https://d21.co.jp/

Publisher　谷口奈緒美
Editor　林秀樹

Sales & Marketing Group
蛯原昇　飯田智樹　川島理　古矢薫　堀部直人　安永智洋　青木翔平　井筒浩　王廳　大﨑双葉
小田木もも　川本寛子　工藤奈津子　倉田華　佐藤サラ圭　佐藤淳基　庄司知世　杉田彰子　副島杏南
滝口景太郎　竹内大貴　辰巳佳衣　田山礼真　津野主揮　中西花　野﨑竜海　野村美空　廣内悠理
松ノ下直輝　宮田有利子　八木眸　山中麻吏　足立由実　藤井多穂子　三輪真也　井澤徳子
石橋佐知子　伊藤香　小山怜那　葛目美枝子　鈴木洋子　町田加奈子

Product Group
大山聡子　藤田浩芳　大竹朝子　中島俊平　小関勝則　千葉正幸　原典宏　青木涼馬　伊東佑真
榎本明日香　大田原恵美　志摩麻衣　舘瑞恵　西川なつか　野中保奈美　橋本莉奈　星野悠果　牧野類
三谷祐一　村尾純司　元木優子　安永姫菜　渡辺基志　小石亜季　中澤泰宏　森遊机　蛯原華恵

Business Solution Company
小田孝文　早水真吾　佐藤昌幸　磯部隆　野村美紀　南健一　山田諭志
高原未来子　伊藤由美　千葉潤子　藤井かおり　畑野衣見　宮崎陽子

IT Business Company
谷本健　大星多聞　森谷真一　馮東平　宇賀神実　小野航平　林秀規　福田章平

Corporate Design Group
塩川和真　井上竜之介　奥田千晶　久保裕子　田中亜紀　福永友紀　池田望　石光まゆ子
齋藤朋子　俵敬子　宮下祥子　丸山香織　阿知波淳平　近江花渚　仙田彩花

Proofreader　株式会社T&K
Printing　日経印刷株式会社

ISBN978-4-910286-24-2　